# La science expliquée
# à mes petits-enfants

Jean-Marc Lévy-Leblond

# La science expliquée
# à mes petits-enfants

Éditions du Seuil

ISBN 978-2-02-118342-9

www.seuil.com

*À Simon, Louis, Léo, Anatole,*
*Clara, Emma, Isidore, Noé,*
*Luce, Suzanne, Joseph, Paul*

Merci à Sophie Lhuillier pour sa lecture attentive, avec ma gratitude pour sa collaboration au fil des années.

Merci à Simon Marmorat, Clara Testard, Jeanne Pigache-Testard, Juliette Leblond, Marianne Lévy-Leblond, Alice Lévy-Leblond, Anatole Parre, Baptiste Sermage (par ordre d'entrée en texte) pour leurs critiques et remarques.

— *C'est quoi ces signes bizarres que tu gribouilles sur le papier ?*

— C'est mon travail : de la physique.

— *Mais je croyais que la physique s'occupait des atomes, des molécules ou alors des quasars, des trous noirs... et qu'il lui fallait des appareils très compliqués pour observer ces choses ?*

— Tu as tout à fait raison ! Et cette feuille de papier et ce crayon, c'est justement l'un de ces appareils très compliqués.

— *Tu te moques de moi ?*

— Non, je plaisante juste un peu. En réalité, l'appareil vraiment compliqué dont je me sers, c'est mon cerveau.

— *Tu veux dire que dans ta tête, tu peux directement étudier les atomes, par exemple ? Que tu n'as pas besoin d'un microscope ou d'un accélérateur de particules ?*

— Si, bien sûr, j'en ai besoin, mais les expériences et les observations que l'on fait avec ces appareils ne suffisent pas : il faut qu'on comprenne les résultats des mesures et les images obtenues, qu'on les interprète. Et c'est là que le cerveau humain, l'appareil à penser si tu veux, intervient, comme il intervient d'ailleurs déjà pour imaginer les expériences et inventer les instruments.

— *Mais je ne t'ai jamais vu utiliser un instrument quand tu travailles...*

— C'est que je suis ce qu'on appelle un « théoricien » et pas un « expérimentateur ». Tu sais, la science aujourd'hui, c'est comme presque toutes les activités humaines : elles sont devenues si riches et si complexes qu'il faut bien se spécialiser. Par exemple, toi qui adores le cinéma, tu sais bien que pour faire un film, il faut que travaillent ensemble réalisateur, acteurs...

## La science, un sport d'équipe ?

— *Ou réalisatrice, actrices...*

— Scénariste, chef opérateur, preneur de son — d'accord, au féminin aussi — et bien d'autres professionnels encore. Tu n'as qu'à regarder les immenses génériques des films actuels, où figurent même les cuisiniers (ou -ères) de l'équipe. Eh bien, dans beaucoup de domaines de la science actuelle, ce sont plusieurs centaines de personnes qui travaillent pendant des mois sur une expérience. Et les articles scientifiques qui publient leurs résultats sont cosignés par autant d'auteurs – encore ne figurent que les chercheurs et chercheuses proprement dits, et pas les ingénieurs, techniciens, secrétaires, agents de service, etc., plus nombreux et tout aussi nécessaires à la bonne marche de l'expérience. Imagine un peu une voiture qui sortirait d'une usine d'automobiles en portant la signature de chacun des ingénieurs qui a travaillé à sa conception initiale, des chefs d'équipes qui surveillent les chaînes de montage et de tous les ouvriers qui ont serré un boulon ici ou inséré un câble là !

– *Alors pourquoi on donne le prix Nobel chaque année à un ou deux savants seulement ?*

– En fait, trois au maximum dans chaque domaine – c'est ainsi qu'Alfred Nobel l'a décidé dans son testament, à la fin du XIX$^e$ siècle, à un moment où la science n'avait pas encore pris cette dimension vraiment industrielle. Mais dans bien des cas, cela ne correspond plus à la réalité. C'est un peu comme dans les cours d'histoire d'autrefois, où l'on disait que Jules César avait vaincu Vercingétorix, que Jeanne d'Arc avait libéré la France des Anglois, que Napoléon avait remporté la victoire d'Austerlitz, sans mentionner les milliers d'hommes et de femmes qui étaient les véritables acteurs de ces batailles et sans qui ces grands personnages n'auraient rien accompli.

— *Si un jour je fais de la science, je crois que je n'aimerais pas trop travailler dans de si grosses équipes.*

— Il est sans doute frustrant, surtout pour les jeunes chercheurs, de ne pouvoir travailler que sur des aspects très particuliers d'une grande expérience, sans en avoir une vue d'ensemble claire, et de se percevoir comme un petit rouage d'une immense machine. Mais cela a aussi des avantages : le sentiment du travail collectif, l'appartenance à un groupe. Tu sais bien que chez les sportifs, tant amateurs que professionnels, certains préfèrent les sports d'équipe, le foot ou le basket, et d'autres les sports individuels, le tennis ou l'escrime.

— *Ça me rassure de savoir qu'on peut choisir !*

— Et d'ailleurs, cette activité communautaire à grande échelle n'est pas le fait de tous les domaines scientifiques. Elle est dominante dans beaucoup d'expériences en physique des particules, en biologie moléculaire, en astrophysique, mais bien moins en mathématiques, en psychologie, en géologie, pour ne citer que quelques disciplines, et en tout cas pas dans les sciences sociales et humaines.

— *Quand tu étais au collège puis au lycée, tu aimais la science ?*

— Mais « la science », ça n'existe pas vraiment. Il y a *des* sciences, très différentes, on y reviendra. Alors les maths et la physique, oui, j'aimais bien, mais nettement moins les sciences naturelles, comme on disait autrefois pour ce qu'on appelle aujourd'hui svt (sciences de la vie et de la Terre).

— *Pourquoi ?*

— Sans doute parce que ces « sciences nat » étaient enseignées de façon trop descriptive et pas assez théorique. Il faut dire que la biologie et la géologie, entre autres, ont fait beaucoup de progrès depuis les années 1950 et sont sûrement plus intéressantes maintenant ! Nous en savons bien plus sur les mécanismes de l'hérédité, par exemple, ou sur la formation des continents terrestres.

## « Oh, mathématiques sévères »

— *Ça tombe bien, c'est justement les sciences de la vie qui m'intéressent le plus. Mais qu'est-ce qui te plaisait dans les maths ? Moi je trouve ça difficile !*

— Et tu n'es pas la seule ! Tiens, écoute ce qu'écrivait Victor Hugo dans *Les Contemplations*, en se rappelant ses années de collège :

« J'étais alors en proie à la mathématique./Temps sombre ! Enfant ému du frisson, poétique, /Pauvre oiseau qui heurtais du crâne mes barreaux,/On me livrait tout vif aux chiffres, noirs bourreaux […]/On me tordait, depuis les ailes jusqu'au bec/Sur l'affreux chevalet des x et des y. »

— *Ah tu vois !*

— Mais plus tard, il s'intéressera beaucoup à la science ! Et un autre grand poète du XIX<sup>e</sup> siècle, Lautréamont, a écrit un superbe éloge des mathématiques dans *Les Chants de Maldoror,* qui commence ainsi : « Oh, mathématiques sévères, je ne vous ai pas oubliées, depuis que vos savantes leçons, plus douces que le miel, filtrèrent dans mon cœur, comme une onde rafraîchissante. »

Il ne faut pas confondre ce que sont les mathématiques avec la façon dont on les enseigne. Je t'accorde que jusqu'à présent on n'a pas encore trouvé le moyen de rendre les cours de science aussi intéressants qu'ils devraient et sans doute pourraient l'être.

— *Même quand c'est sur des questions qui comptent pour nous !*

— À quoi penses-tu ?

— *Eh bien, par exemple, aux cours d'éducation sexuelle, où on ne nous parle que d'anatomie et de maladies.*

— Alors que c'est le sentiment amoureux qui vous intéresse, bien sûr, et que vous en apprenez plus dans les chansons et les romans qu'en SVT. Très bon exemple : je dirais volontiers que, en science, il peut y avoir la même différence entre leur apprentissage et leur pratique qu'entre un cours d'éducation sexuelle et une histoire d'amour.

— *Tu exagères !*

— À peine.

— *Mais alors, pourquoi n'arrivez-vous pas, vous les scientifiques, à nous permettre de partager vos histoires d'amour avec les sciences ?*

— C'est que nous n'avons pas encore résolu le problème de savoir comment transmettre avec les connaissances scientifiques le plaisir de leur découverte. Autrement dit, en sciences bien plus que dans les autres disciplines scolaires, il y a une énorme différence entre l'apprentissage et la pratique. En français, on ne se contente pas de vous faire faire des dictées pour maîtriser l'orthographe et la grammaire, on vous propose des rédactions ou des dissertations, qui sont comme des modèles réduits de ce que font les professionnels de l'écriture, romanciers ou essayistes. Pour prendre un exemple bien différent, en éducation physique, on fait du sport, et pas seulement de la gymnastique ! Mais en physique ou en maths, on fait surtout des exercices ou des problèmes d'application du cours et trop peu d'activités demandant imagination, invention, création.

— *Sans doute ça serait plus intéressant, mais quand même difficile !*

— Ah, revenons à cette question de la difficulté. Tu trouves les maths difficiles. Mais justement, réussir à faire quelque chose de difficile, c'est assez excitant, non ? Tu n'as jamais cette impression ?

— *Si, c'est vrai, par exemple, quand je fais de l'acrobatie à l'école de cirque. Au début, c'était vrai-*

*ment déprimant, je n'arrivais pas à garder l'équilibre sur la corde ou le ballon. Mais comme je trouvais ça magnifique quand les autres y réussissaient, je me suis accrochée et maintenant je suis assez contente de ce que j'arrive à faire. Et mon frère, c'est pareil avec le violon, quand il a commencé, c'était terrible, il ne produisait que d'affreux grincements, mais comme il aime la musique, il a persévéré et il peut jouer de belles choses maintenant.*

— Eh bien, c'est pareil. Les maths, ce n'est pas facile, mais d'autant plus plaisant. De plus, elles ont un avantage : lorsqu'on obtient un résultat, on peut savoir tout de suite s'il est correct. C'est pour ça que je trouvais les devoirs de maths ou de physique moins stressants que ceux de français ou de philo, parce qu'en général je savais à l'avance si j'allais avoir une bonne note – ou pas ! La philosophie ou les lettres m'intéressaient aussi (et m'intéressent toujours et souvent plus encore), mais je m'y sentais moins en sécurité. C'est pourquoi j'admire beaucoup plus les écrivains et les artistes que les scientifiques ; les premiers prennent nettement plus de risques dans leur activité créatrice.

— *Alors finalement, choisir de faire de la science, c'était pour toi une solution de facilité ?*

— En quelque sorte, oui, je le reconnais volontiers.

— *Donc tu n'as jamais eu de mal ? Trop de chance !*

– Ah, ne crois pas ça ! Tu vois, au collège, au lycée, puis à l'université, je n'ai effectivement guère éprouvé de difficultés. C'est pourquoi je me suis lancé dans la recherche. Et là, patatras ! Dans mon premier travail de chercheur débutant, il m'a fallu aborder un problème que personne encore n'avait traité – oh, pas un problème très difficile, une simple variation sur une problématique connue. Et là, j'ai séché ! Je ne savais pas du tout par quel bout prendre la question – pas comme les exercices de cours où l'on sait par avance à quelle théorie se référer, quelles équations utiliser. Ce furent plusieurs mois de déprime avant qu'un chercheur renommé ne m'explique amicalement que c'était normal et que le travail de recherche consiste précisément à passer le plus clair de son temps à ne pas trouver, à ne même pas savoir exactement ce qu'on cherche, et pire encore, à se tromper !

## « Erreurs sacrées, mères [...] de la vérité »

– *Ça alors, moi je croyais que la méthode scientifique, c'était justement un moyen sûr pour ne pas se tromper !*
– Je t'avoue n'avoir jamais bien compris ce qu'est « la » méthode scientifique, car la description qu'on en fait dans les livres me semble très éloignée de la réalité. En tout cas, il n'y

a en science pas plus qu'ailleurs de moyen sûr pour réussir. Les erreurs sont inévitables. Une erreur n'est pas une faute, plutôt, l'étymologie nous aide ici, une errance à la recherche du bon chemin. Victor Hugo, encore lui, a écrit (dans *L'Art et la Science*) : « Ô erreurs sacrées, mères lentes, aveugles et saintes de la vérité ! »

— *Très beau, mais moi, ce serait plutôt de sacrées erreurs que je commets !*

— Et moi aussi ! Je peux te dire que la plupart des calculs que j'effectue, moi théoricien, sont faux et que la plupart des manips de mes amis expérimentateurs sont ratées – en tout cas au début ; puis, parfois, à force de reprendre le travail, on arrive à un résultat satisfaisant. Je dis souvent à mes étudiants que je me trompe autant qu'eux, mais que j'ai un gros avantage : je sais à l'avance que je me trompe, et surtout, je dispose d'un certain nombre d'outils de vérification et de correction qui me permettent de détecter et de rectifier nombre de mes erreurs – mais pas toutes, bien sûr, et pas les plus subtiles ! Peut-être, s'il faut absolument définir « la » méthode scientifique, peut-on dire que c'est l'activité d'autocritique systématique. Facile à dire, beaucoup moins à pratiquer !

— *Mais ça doit être très frustrant ?*

— Ça peut l'être. Heureusement, faire de la science, ce n'est pas seulement faire de la recherche. C'est aussi, ou en tout cas ça devrait être pour tous les scientifiques, enseigner, expliquer. Pas seulement produire du savoir nouveau, mais le partager. Et c'est une activité gratifiante, moins peut-être que les rares moments d'illumination et de réussite dans la recherche, mais plus rassurante. C'est bien pourquoi j'ai tant de plaisir à discuter avec toi !

– *Bon, quand je sécherai sur un problème, je tâcherai de me souvenir que ça t'arrive aussi !*

– Tu sais, pour revenir à cette douloureuse expérience de rencontre avec l'échec que j'ai connue – comme la plupart des chercheurs, en fait, même si peu en parlent –, je me dis parfois que les « bons élèves » qui subissent cette épreuve sur le tard ne sont pas les mieux armés pour y faire face. Peut-être que les « mauvais élèves », qui ont connu des revers très tôt, seraient moins déstabilisés face à cette réalité du travail scientifique. Je me demande même s'il ne vaudrait pas la peine de recruter une partie des chercheurs parmi les élèves qui réussissent le moins bien en sciences !

– *Et ça ne t'a pas manqué de laisser tomber les disciplines littéraires quand tu as commencé à te consacrer aux sciences ?*

– Si, absolument. D'ailleurs, je ne les ai pas vraiment abandonnées, et ai continué à les fréquenter, en amateur certes. J'ai continué à lire de la philosophie, de la littérature, de l'histoire.

– *Pourtant, on entend souvent dire que pour faire de la science, il faut s'y consacrer à plein temps et ne rien faire d'autre. C'est justement ce qui m'inquiète un peu quand je me demande si plus tard j'irai vers un métier plutôt scientifique ou plutôt littéraire.*

– D'abord, laisse-moi te dire que cette division scientifiques/littéraires qu'on persiste à ressasser est assez stupide, et renvoie à une conception dépassée de l'enseignement. Il y a bien des activités, la plupart en fait, qu'on aurait peine à classer dans l'une ou l'autre de ces deux catégories.

– *Par exemple ?*

– Pour nous en tenir à des disciplines académiques, la démographie, l'économie, la géographie, l'architecture…

Pour en revenir à la science, qu'elle demande un engagement à plein temps, c'est bien ce qu'on raconte, par exemple, à propos de Newton. À quelqu'un qui lui demandait comment il avait fait ses grandes découvertes, il aurait répondu : « En y pensant sans cesse. » Et c'est sans doute le cas pour les génies comme Newton ou Einstein. Mais ils sont rares et la science a besoin de bien d'autres talents. Heureusement, la plupart des scientifiques ne le sont quand même pas vingt-quatre heures sur vingt-quatre ! Nombre d'entre eux, hors de leurs bureaux et de leurs laboratoires, sont férus de musique, par exemple, ou de montagne. Et puis, tu sais, la science, c'est comme la plupart des activités humaines, il y a bien des façons d'y travailler.

Évidemment, les techniques, expérimentales ou théoriques, sont devenues aujourd'hui très sophistiquées et, en physique des particules, par exemple, pour faire une expérience sur un grand accélérateur ou un calcul mathématique, il faut y travailler longtemps et continûment. Mais la science bien comprise ne consiste pas seulement en la découverte de domaines inconnus. Il faut aussi, ensuite, explorer, cartographier, défricher ces domaines. En d'autres termes, comprendre et pas seulement apprendre. Alors, pour ce genre de travail, une bonne culture philosophique et même artistique est un atout certain.

— *Je ne vois vraiment pas comment un roman ou une poésie peuvent aider à résoudre un problème de maths ou à réussir une expérience de chimie !*

— Ah, bien sûr, ce n'est pas si simple. Mais quand même, déjà pour les sciences comme on les apprend au collège ou au lycée, l'apprentissage des lettres, des langues, peut être utile pour faire face aux difficultés. Je m'explique. Tu te rappelles ce que je te dis quand je te fais travailler sur tes exercices de physique et que tu n'y arrives pas du premier coup ?

## Travail e(s)t plaisir

— *Oui, tu me dis que c'est normal : si on y arrivait toujours d'emblée, ça ne vaudrait pas la peine de faire ces exercices, et tu m'expliques qu'ils sont conçus justement pour m'obliger à réfléchir.*

– Voilà. Quand j'insiste là-dessus, c'est que, contrairement à ce qu'on croit trop souvent, connaître un théorème de maths ou une loi physique, ce n'est pas seulement, et même pas essentiellement, l'apprendre par cœur. Il faut les comprendre en profondeur, savoir quelles sont leurs significations et dans quels cas on peut les appliquer. Et cette maîtrise ne peut résulter que d'un entraînement. Autrement dit, même pour les exercices simples, par exemple des calculs numériques, ça ne fonctionne pas par « tout ou rien » instantané. Tu sais comme je suis mécontent quand, devant une question, si tu ne trouves pas immédiatement la solution ou tout au moins la piste à suivre pour la trouver, tu te décourages tout de suite en me répondant : « Je ne sais pas… » Évidemment, tu ne sais pas, sinon cela n'aurait pas d'intérêt de faire ce travail ! D'ailleurs, à toi de m'expliquer pourquoi tu crois – et tu es loin d'être la seule ! – que, en sciences, on pourrait (et il faudrait) arriver aux bons résultats tout de suite, ou alors jamais ?

– *C'est qu'on dit souvent que, pour être bon en sciences, il faut être doué. Alors, on finit par croire que pour ceux qui ont ce don, ça se fait tout seul, et que sinon, c'est peine perdue, on est nul.*

– Mais toi, qui es si bonne en anglais, par exemple, crois-tu que c'est parce que tu as un « don » particulier qui ferait que tu n'aurais pas besoin de travailler ? As-tu su comprendre un texte anglais dès que tu en as lu ou entendu un ?

— *Non, et je me souviens comme ça m'énervait de ne pas comprendre les paroles des chansons des Beatles quand j'étais petite.*

— Alors, comment as-tu fait ?

— *Eh bien, j'ai appris du vocabulaire, de la grammaire, de la phonétique…*

— Au collège ?

— *Oui, mais pas seulement. J'ai cherché les paroles des chansons que j'aimais sur internet, en anglais et en français, j'ai comparé, j'ai fouillé les dictionnaires en ligne pour trouver les mots inconnus. Ah oui, et puis quand je regardais les films et les séries télé, j'ai essayé le plus souvent de choisir des versions sous-titrées en faisant attention à bien écouter les dialogues en même temps que je lisais les sous-titres.*

— Bref, tu as beaucoup travaillé ?

— *Mais non, puisque je faisais ça par plaisir.*

— Nous y voilà. Pourquoi n'appellerait-on « travail » que ce que l'on fait sans plaisir ? Tu ne crois pas qu'on puisse s'intéresser aux maths ou à la physique comme toi à l'anglais ?

— *Pas vraiment : il n'y a pas de chansons ou de séries télévisées scientifiques…*

— Et c'est dommage ! Mais ce n'est pas complètement exact : sans même parler de *Numbers*, tu te rappelles sûrement ces séries policières comme *NCIS* ou *Les Experts*, que tu regardais avec passion et qui te donnaient envie, il n'y a pas si longtemps, d'entrer plus tard dans la police scientifique ?

— *Leurs enquêtes, avec les appareils de chimie et les autopsies, je trouvais ça génial !*

— Et l'astronomie ? Les constellations et les planètes, il t'a peut-être suffi de regarder le ciel pour les connaître ?

— *Non, bien sûr, mais c'est parce que tu nous les as montrées souvent avec notre petit télescope quand nous allons observer le soir, et parce que nous allons chaque été au festival d'Astronomie, et que j'y vois les splendides photos de Mars ou de Saturne.*

— D'accord, mais il a bien fallu que tu mémorises tout ça et que tu comprennes les mouvements compliqués des corps célestes — donc que tu travailles.

— *Mais pas à l'école !*

— Là aussi, c'est bien dommage qu'on n'enseigne pas plus et surtout plus concrètement l'astronomie au collège et au lycée. Mais si, pour toi, le travail c'est seulement ce qu'on fait à l'école, je te propose un autre mot pour décrire cet effort nécessaire, en sciences comme ailleurs. Si on parlait d'« entraînement » ?

— *Tu veux dire comme en sport ?*

— Tout à fait ! Ou bien pense à ton école de cirque : tu ne vas pas me dire qu'il te suffit de regarder ton instructrice faire un pont arrière ou un saut périlleux pour savoir le faire ?

— *Non, c'est même long à apprendre, et fatigant.*

— Eh bien, c'est exactement la même chose

en sciences. Bien sûr, il y a des gens qui ont plus de facilité (je préfère ce mot à celui de « don ») que d'autres. Mais tout le monde ou presque peut comprendre les sciences, comme tout le monde ou presque peut apprendre à danser ou à jouer au foot ou à parler anglais.

— *Bon d'accord, mais il faut en avoir envie.*

— Exactement, et c'est là qu'est la clé du problème. Les sciences ne sont pas plus difficiles à apprendre que les lettres ou les langues, mais elles sont pour l'instant plus difficiles à rendre intéressantes, à l'école du moins.

— *Mais pourquoi ?*

— Je vais te donner mon avis. Si l'anglais t'a intéressée, ce n'est pas parce que la langue elle-même t'intéressait, au début tout au moins…

— *Non, c'est parce que je voulais comprendre les chansons qui me plaisaient, et les séries télévisées.*

— Eh bien voilà ! Je crois que, pour les sciences, on enseigne essentiellement les méthodes de résolution des problèmes : comment faire une démonstration de géométrie, un calcul de dérivées, un diagramme de forces, un équilibrage de réactions chimiques, etc., sans passer d'abord du temps sur la nature et l'intérêt, justement, des problèmes eux-mêmes. Tu comprends bien que je ne parle pas ici des problèmes au sens des exercices du cours, mais des problèmes que les scientifiques eux-mêmes ont à résoudre. C'est un peu comme si, en français, on n'enseignait que l'orthographe et la grammaire, et pas à réfléchir sur les textes des romans ou des pièces de théâtre, pour comprendre leur signification, ce qu'ils nous apportent. J'aime beaucoup, de ce point de vue, ce qu'écrivait une grande auteure du siècle dernier, Nathalie Sarraute, quant au rôle de la littérature, en évoquant « ce qu'elle seule peut donner aux lecteurs : une connaissance approfondie, plus complexe, plus juste que celle qu'ils peuvent avoir par eux-mêmes de ce qu'ils sont, de ce qu'est leur condition, de ce qu'est leur vie ».

— *C'est vrai qu'en lisant* Le Bourgeois gentil-homme *ou* Le Rouge et le Noir*, on a beaucoup appris sur ce qu'étaient les rapports entre les gens, les relations familiales ou amoureuses. Mais je ne vois vraiment pas comment il pourrait y avoir des équivalents dans les sciences !*

— Eh bien, je vais te donner un exemple. Tu te rappelles comment s'appelle l'examen que ton oncle a subi à cause de ses problèmes de circulation sanguine ?

## Avec l'histoire, ça donne envie !

— *Un « doppler », c'est ça ?*

— C'est ça. Ce nom est en fait celui d'un physicien autrichien, Christian Doppler, qui a découvert au XIX$^e$ siècle ce qu'on appelle maintenant l'« effet Doppler ». Tu verras ça en Terminale.

— *C'est quoi cet effet ?*

— As-tu déjà remarqué ce qui se passe quand une ambulance te croise en faisant sonner son avertisseur ?

— *Oui, le son est plus grave quand elle s'éloigne que quand elle s'approche.*

— Eh bien c'est exactement ça, l'effet Doppler : la modification de la fréquence du son selon la vitesse relative de l'émetteur et du récepteur.

— *Mais quel rapport avec les examens médicaux de mon oncle ?*

— J'y viens. En fait, Doppler a découvert cet effet, non sur les ondes sonores, mais sur les ondes lumineuses : la couleur de la lumière des étoiles change suivant leur vitesse par rapport à nous – et c'est justement une façon d'étudier leur mouvement. Puis on a compris que ce même effet valait pour tout phénomène ondulatoire, le son par exemple. Et il y a maintenant quelques décennies, on a imaginé une méthode pour évaluer la vitesse du sang dans les veines ou les artères en mesurant comment la fréquence d'une onde ultrasonore est modifiée quand elle rebondit sur les globules rouges en mouvement.

— *C'est sûr que ça me donnerait plus envie de comprendre l'effet Doppler si on me le présentait comme ça.*

— Tu as dit le mot juste : « présenter ». Parce

que dans les livres de cours modernes, il y a certainement des exercices d'application des formules de l'effet Doppler au cas de l'échographie doppler médicale. Mais ce que j'ai en tête, c'est l'intérêt de raconter l'histoire de la découverte puis des applications de cet effet *avant* d'en établir la description mathématique.

– *Si on savait mieux à l'avance à quoi ça peut servir, on serait sûrement plus motivés pour suivre les cours !*

– Oui, mais attention, à quoi penses-tu quand tu dis « servir » ?

– *Ben, comme dans l'exemple que tu m'as donné, où la physique sert à la médecine.*

– J'ai peut-être eu tort de prendre un exemple aussi simple… Pour deux raisons : d'une part, parce que les découvertes scientifiques « servent » aussi souvent à réaliser des inventions dangereuses, voire criminelles…

– *Tu penses aux armes comme les bombes atomiques ?*

– Oui.

– *Et la seconde raison ?*

– La seconde raison, qui est peut-être la plus importante, c'est que la science ne « sert » pas seulement à faire des progrès techniques, qu'ils soient positifs ou négatifs. On pourrait même dire qu'elle ne remplit ce rôle que depuis peu, en fait, depuis à peine plus de deux siècles.

– *Mais ça fait très longtemps ça !*

– Pour toi, oui, car c'est environ quinze fois

ton âge, mais au mien, ça fait seulement trois fois. Et à l'échelle de l'histoire humaine, soit plusieurs millénaires, tu conviendras que deux siècles, ce n'est pas grand-chose.

— *Alors, les Grecs par exemple, les mathématiques, dont on dit pourtant qu'ils les ont inventées, ne leur servaient à rien ?*

— À rien, ou à pas grand-chose si on pense à des applications techniques. Ces théorèmes que tu apprends, qu'on attribue à Thalès, à Pythagore, n'étaient sûrement pas utilisés par les architectes, les menuisiers, les arpenteurs, etc., pour la bonne et simple raison que dans leur grande majorité ces artisans étaient des esclaves. Ils ne savaient donc même pas lire et n'avaient aucun accès aux savoirs théoriques, réservés aux hommes libres — je dis bien les hommes, puisque les femmes étaient, sauf rares exceptions, également exclues du monde intellectuel. Pour comprendre cette séparation radicale, et le mépris dans lequel étaient tenus ceux qui travaillaient de leurs mains, il n'est que de lire Platon, ou Xénophon, qui écrit ainsi : « Il est certes bien naturel qu'on tienne [les métiers d'artisans] en grand mépris dans les cités. Ils ruinent le corps des ouvriers qui les exercent et de ceux qui les dirigent en les contraignant à une vie casanière assis dans l'ombre de leur atelier [...]. Les corps étant ainsi amollis, les âmes aussi deviennent bien plus lâches. [...] [Ces artisans] passent pour de mauvais amis et de mauvais défenseurs de la patrie ; aussi, dans certaines cités, notamment dans celles qui passent pour guerrières, il est défendu à tout citoyen d'exercer les métiers d'artisans. »

## Le monde des idées

— *Pourquoi donc les Grecs faisaient-ils des mathématiques ?*

— Pour penser ! Ce que les Grecs ont inventé, ce ne sont pas les mathématiques en général, ni la géométrie, mais l'idée de démonstration, une procédure logique de déduction raisonnée. Ainsi, les mathématiques leur importaient parce qu'elles offraient un modèle d'argumentation capable d'emporter la conviction, par-delà la simple opinion. Tu vois qu'il s'agit là, au sens moderne, d'une avancée philosophique plus que scientifique. C'est bien pourquoi, selon la légende, à l'entrée de l'Académie, l'école où Platon enseignait la philosophie, était gravée cette devise : « Que nul n'entre ici s'il n'est géomètre ». Cette idée qu'une discussion rationnelle peut aboutir à une conviction partagée est essentielle et se trouve au fondement de l'idée de démocratie – même si, pour les raisons que j'ai dites, la démocratie athénienne ne concernait guère plus de 10 % des habitants de la ville.

– *Donc on pourrait dire que les mathématiques ont servi à la politique ?*

– Si tu veux, mais tu sens bien que le verbe « servir à » n'est pas très approprié ici. Mieux vaudrait dire, par exemple, que les mathématiques n'étaient pas séparées de la philosophie qui avait une fonction politique.

– *La philosophie, ce n'est pas que pour faire de la politique quand même ?*

– Non, bien sûr, c'est une façon de penser le monde, qu'il s'agisse du monde des hommes, du monde des choses, du monde des idées.

– *Penser le monde des choses, ce n'est pas l'objet des sciences de la nature ?*

– Aujourd'hui, oui, l'astronomie, la physique, la chimie, la biologie, la géologie étudient les étoiles, les atomes, les matériaux, les microbes, les cailloux, etc. Mais toutes ces sciences n'existaient pas dans l'Antiquité en tant que disciplines spécialisées.

– *Et que veux-tu dire quand tu parles du monde des idées ?*

– Eh bien, penser le monde, c'est *se faire* des idées sur ce qu'il est. Je veux dire qu'il ne s'agit pas seulement de le décrire, mais de comprendre son organisation, son fonctionnement. Pour en rester à la nature la plus immédiate, celle que nous voyons autour de nous, ici, dans ce jardin, nous ne la percevons qu'en classant les plantes et les animaux dans diverses catégories qui mettent un peu d'ordre dans ce qui est au fond un vaste foutoir : des fleurs, des arbres, des insectes, des oiseaux…

— *Je ne vois pas bien où tu veux en venir ?*

— À ceci que la plupart des mots que nous employons pour dire ce que nous voyons ne désignent pas des choses mais des idées abstraites.

— *Je ne comprends pas : une fleur, un oiseau, ce sont bien des choses concrètes ?*

— Cette fleur-ci, plantée dans ce petit coin, avec ses pétales blancs et ses longues tiges, oui ; cet oiseau-ci, tout noir, avec ses ailes en faux, qui fend l'air en piaillant, oui. Mais si tu te limites aux aspects singuliers de telle chose particulière, le monde t'apparaîtra comme un immense amas hétéroclite. Il ne commence à prendre sens que si tu l'organises en catégories : cette fleur-là, rouge et parfumée, avec ses épines, ne ressemble guère à la première ; cet oiseau-là, brun, caché dans la haie, avec sa petite queue dressée, n'est pas du tout comme le précédent. Pourtant, nous les regroupons dans une même catégorie : des fleurs, des oiseaux. Et ces catégories visent à caractériser des choses ayant assez de propriétés communes pour que cela mette un peu d'ordre dans nos perceptions.

— *Et alors ?*

— Alors, le point important, c'est que « fleur » et « oiseau » ne désignent pas des objets spécifiques, mais des idées abstraites : l'idée de fleur, l'idée d'oiseau. On attribue souvent à Spinoza, grand philosophe du XVIIᵉ siècle, la maxime un peu provocante suivant laquelle « le concept de chien n'aboie pas ». Tu comprends ce que cela veut dire ?

— *Je crois : ce qui aboie c'est ce petit basset brun à longues oreilles, ou cet affreux pitbull, et pas « le chien » en général. Mais quel rapport avec les mathématiques grecques ?*

— J'y viens, mais tu vois que nous avons fait sans le vouloir un détour du côté des sciences de la nature, et compris que, même si elles s'occupent des objets et des êtres concrets, elles ne le font qu'en pratiquant l'abstraction.

Eh bien, les mathématiques, c'est plus encore le royaume de l'abstraction. Pense à l'idée de nombre, d'abord. Je dis bien l'idée, parce que tu n'as jamais *vu* de nombre.

— *Comment ça ? Je vois bien qu'il y a trois pommes et deux poires dans ce panier, et six tableaux aux murs de la pièce !*

— Certes, mais, justement, tu vois deux ou trois ou six « quelque chose », pas deux, trois ou cinq ! Deux, c'est un concept : ce qu'il y a de commun entre deux poires, deux cailloux, deux chiens. De la même façon, tu n'as jamais vu de cercle !

— *J'y suis : je vois cette assiette ronde, ce DVD, la pleine lune ce soir, mais le cercle, c'est l'idée abstraite qui permet de dire qu'il s'agit de la même forme ?*

— Exactement, et la géométrie travaille justement sur ces idées de forme. Même le prof de maths, quand il dessine ce qu'il prétend être un cercle au tableau, laisse en vérité une trace faite de poussière de craie, avec une certaine épaisseur, et une forme qui n'est pas rigoureusement symétrique – une représentation concrète imparfaite de l'idée de cercle.

– *Mais alors, comment peut-on raisonner sur ces figures si elles ne sont pas conformes aux idées qu'elles veulent représenter ?*

– Justement en faisant des démonstrations, c'est-à-dire en se fiant aux propriétés théoriques qui définissent les objets mathématiques et en raisonnant sur elles suivant les règles de la logique !

– *Je commence à comprendre pourquoi j'ai du mal en géométrie : quand je dessine une figure, ce qu'on me demande de démontrer m'a l'air si évident que je ne sais pas pourquoi il faudrait le prouver.*

– La réponse est simple : parce que tes yeux peuvent te tromper et que la figure que tu as dessinée a peut-être des propriétés trop particulières qui pourraient te laisser croire à tort qu'elles appartiennent au cas général. Par exemple, as-tu remarqué comme il est difficile de dessiner un triangle qui semble vraiment quelconque ? La plupart du temps, il a l'air isocèle ou rectangle… Et, pire encore, une figure peut être fausse d'une manière si insidieuse qu'elle sera source de confusions et de contradictions.

— *Donc, finalement, on devrait faire de la géométrie sans utiliser de figures ?*

— D'une certaine façon, oui, et c'est ce que les mathématiques modernes, bien après les Grecs, disons, depuis le XIXe siècle, se sont efforcées de faire. Cependant, nous ne fonctionnons pas que de façon logique et nous avons souvent besoin aussi de nous appuyer sur nos représentations et d'en appeler à notre imagination visuelle. C'est pourquoi les mathématiciens continuent, même dans des domaines bien plus abstraits que ceux des programmes du collège et du lycée, à dessiner des figures, à faire des schémas, bref à utiliser leurs yeux et pas seulement leur cerveau. Mais j'ajoute qu'il y a des exemples de très grands mathématiciens aveugles, dont certains ont même travaillé sur des questions relevant de l'imaginaire visuel.

— *Bon, mais si on revenait au rôle des mathématiques chez les Grecs ?*

— Si tu m'as suivi, tu m'accorderas qu'elles peuvent aiguiser les capacités de raisonnement des humains, fournir en quelque sorte à la pensée un banc d'essai, un terrain d'entraînement.

— *On en revient donc au fait qu'elles ne valent que parce qu'elles « servent » à autre chose ? Je croyais que tu allais me montrer qu'elles ont de l'intérêt par elles-mêmes ?*

— Mais oui, bien sûr, j'y viens. C'est que toute activité humaine, la pensée abstraite comme l'art ou le sport, peut être source de plaisir, je dirai même de bonheur, lorsqu'elle dépasse les limites qu'on lui croyait assignées, quelles que soient les difficultés qu'on a eues à franchir ces limites, et peut-être même d'autant plus que ces difficultés ont été grandes !

— *J'ai vu l'autre jour à la télé une émission sur l'histoire de l'athlétisme. C'est sûr que le premier sprinter qui a couru le 100 mètres en moins de 10 secondes a dû être heureux !*

— Bon exemple ! Je m'en souviens bien, c'était Jim Hines aux Jeux olympiques de Mexico en octobre 1968 — un moment assez extraordinaire, marqué par les grands événements politiques de cette année historique : révoltes étudiantes (réprimées dans le sang à Mexico justement), manifestations contre la ségrégation raciale américaine (y compris lors des Jeux)…

— *Attends, aujourd'hui, ce ne sont pas tes histoires d'ancien combattant de 68 qui m'intéressent, un autre jour, je ne dis pas, mais là, on était en train de parler de sciences !*

— Permets-moi juste encore une remarque sur ce fameux 100 mètres — après tout, c'est toi qui en as parlé ! Ce qui est remarquable, c'est que, alors que personne n'avait réussi avant Jim Hines à courir le 100 mètres en moins de 10 secondes, une dizaine d'autres athlètes l'ont fait dans l'année qui suivit, et désormais tous les grands sprinters peuvent (et doivent) y parvenir. Ainsi, aux championnats du monde de Berlin en 2009, où Usain Bolt a établi l'actuel record du monde en 9,58 secondes, les cinq premiers sont descendus au-dessous des 10 secondes !

– *Et alors ?*

– Alors, ce qu'un humain peut faire, beaucoup – je ne dis pas tous – peuvent le faire ! En sciences, c'est la même chose. Si tu as parfois du mal avec les théorèmes de Pythagore ou de Thalès, pense qu'il y a 2 500 ans, ils n'étaient accessibles qu'aux plus profonds esprits de l'humanité. Aujourd'hui, ce sont des milliards d'êtres humains qui les ont appris quand ils étaient enfants ! De quoi être fière, non ? Mais sans aller jusque-là, n'éprouves-tu pas du plaisir quand tu réussis un problème ou comprends un cours ?


## Mieux que Harry Potter !

– *Oui, c'est vrai, je suis contente et ça me met de bonne humeur, ça me donne envie de continuer.*

– Voilà ce à quoi je voulais t'amener : la connaissance scientifique a son intérêt propre, elle est porteuse de joie, même de jouissance.

– *Mais il y a bien d'autres activités agréables dans la vie !*

– Et heureusement ! C'est précisément la variété immense des activités humaines et la diversité des plaisirs qu'elles peuvent procurer qui donnent sa valeur à la vie. Il n'est pas question de dire que la science est la plus belle ou la plus noble ou la plus utile de ces activités, mais seulement qu'il ne faut pas la juger en fonction de la seule utilité de ses applications. Personne n'est obligé de l'aimer. On a parfaitement le droit de préférer la musique ou la littérature, ou le sport ou la cuisine, mais on ne saurait négliger que la science fait partie de la culture humaine – ou tout au moins pourrait, devrait en faire partie !

– *Pourquoi parles-tu au conditionnel ?*

– Parce que je crains que la science se soit bien éloignée de la culture, au cours du dernier siècle en tout cas.

– *Pourtant, on entend beaucoup parler de « culture scientifique » ?*

– Justement ! Si la science faisait vraiment partie de la culture, on n'aurait pas besoin de le dire ! Quand on parle de littérature, de musique, de cinéma, on sait qu'il s'agit de culture, on n'éprouve pas le besoin de toujours parler de « culture littéraire », de « culture musicale », de « culture cinématographique ». Tu sais, la culture, c'est comme la République française : elle est « une et indivisible ». Dès qu'on la découpe en lui ajoutant des épithètes…

– *Des étiquettes ?*

– C'est la même chose ! Dès qu'on la découpe donc, on lui ôte ce qui fait son essence :

la possibilité de naviguer entre ses différents aspects, qui s'enrichissent mutuellement.

— *En quel sens dis-tu que la science échappe à la culture ?*

— Précisément en cela qu'elle est fort peu liée aux activités reconnues comme culturelles.

— *Mais il y a beaucoup de musiciens qui utilisent l'électronique et d'artistes qui se servent de l'informatique !*

— Oui, et c'est très bien ainsi, mais il s'agit là de technique, des outils de la création, et non de ses contenus. Connais-tu beaucoup de romans ou de films dont les personnages sont des scientifiques (à part les « savants fous » de certaines BD !) ? Vu l'importance de la science dans notre vie sociale et même individuelle, on pourrait espérer que la culture ambiante nous aide à mieux comprendre son rôle.

— *À quoi penses-tu ?*

— Par exemple, la fécondation artificielle, les greffes d'organes, les pollutions chimiques pourraient faire l'objet d'histoires passionnantes. Mais aussi des aspects plus enthousiasmants : la découverte d'exoplanètes, l'étude des grands singes, que sais-je encore… Après tout, il y a bien des phénomènes étudiés par la science qui sont aussi mystérieux et passionnants que les pouvoirs magiques de Harry Potter !

— *Peut-être, mais encore faudrait-il que ces phénomènes nous soient racontés avec le même talent que celui de l'auteure de Harry Potter, ou peut-être mieux encore, nous soient montrés avec autant de brio que dans les adaptations cinématographiques de ses romans.*

— Tu as absolument raison. Cela me rappelle une remarque de Victor Weisskopf, un excellent physicien du xxᵉ siècle, par ailleurs homme de grande culture. Dans la plupart des domaines de la culture, disait-il, nous admirons bien sûr à juste titre les grands créateurs, poètes, dramaturges, compositeurs, etc. Mais nous tenons également en haute estime leurs grands interprètes. Sans les comédiens, sans les musiciens, comment aurions-nous accès aux œuvres ? Nous avons eu besoin de chefs d'orchestre comme Bruno Walter et Toscanini pour accéder à Mozart et à Verdi, de cantatrices comme Kathleen Ferrier et la Callas pour entendre Mahler et Puccini, de metteurs en scène comme Vilar et Chéreau pour recevoir Brecht et Shakespeare, et je te laisse poursuivre la liste pour ce qui est des acteurs et actrices de cinéma et des chanteurs de rock. Autrement dit, la culture est forgée et transmise non seulement par les auteurs, mais aussi par leurs interprètes. Et, s'étonnait Weisskopf, comment se fait-il que ce statut de grand interprète soit si rarement reconnu et valorisé en science ?

— *Mais justement, y a-t-il de « grands interprètes », comme tu dis, en science ?*

— Oui, bien sûr. Je pourrais te parler de Paul Langevin qui, au début du xxᵉ siècle comprenait et expliquait la théorie de la relativité plutôt mieux qu'Einstein lui-même, ou de Stephen J. Gould qui, à la fin du même siècle, a tant fait pour élucider la théorie de l'évolution. Et bien d'autres scientifiques, dont le talent majeur, trop peu estimé, est plus celui de l'interprétation que de l'invention, ce qui est pourtant aussi indispensable.

— *Comment expliques-tu que cette dimension du travail scientifique soit si peu reconnue ?*

— Il me semble que c'est lié à une autre caractéristique de la science actuelle qui la sépare de la culture, à savoir son manque de mémoire historique.

## Un irrationnel raisonnable

— *Ah bon ? Mais on parle du théorème de Pythagore, du principe d'Archimède, des formules de Descartes, des lois de Newton, etc.*

— Certes, mais ce ne sont que des appellations, parfois erronées d'ailleurs. Le fait est que l'on ne fréquente pas les œuvres de ces savants. Dans leur grande majorité, les physiciens n'ont pas lu Galilée, ni même Einstein, les biologistes Aristote ou Darwin, etc.

— *Mais à quoi cela pourrait-il servir de lire leurs œuvres puisqu'aujourd'hui on apprend bien ce que ces savants ont découvert ?*

— C'est effectivement une idée répandue

que la science n'aurait que faire de son histoire, puisqu'elle la récapitulerait en permanence. Mais je crois que c'est une idée fausse et que la fréquentation de l'histoire des sciences, si elle est conçue de façon active, a plusieurs mérites. D'abord, elle facilite l'apprentissage en permettant un accès plus aisé aux connaissances actuelles par l'intermédiaire de celles du passé. Je te donne un exemple important. Tu as bien sûr entendu parler de la relativité ?

— *Oui, la théorie d'Einstein, à laquelle personne ou presque ne comprend rien ?*

— Eh bien, ça, c'est justement une légende, que l'histoire contredit. D'abord, cette réputation d'incompréhensibilité, si elle avait un sens il y a un siècle, quand les idées d'Einstein étaient encore neuves, n'en a aucun aujourd'hui où la théorie est enseignée dès les premières années d'université, comprise par des millions de personnes et journellement utilisée par des dizaines de milliers. Mais surtout, ce n'est pas Einstein qui a découvert l'idée de relativité ! Elle remonte aux débuts de la science moderne, avec Galilée – même s'il ne l'a pas dénommée ainsi. Ce qu'Einstein a fait, c'est de remplacer cette ancienne théorie de la relativité, qui rencontrait de graves difficultés, par une nouvelle, plus satisfaisante, même si un peu plus compliquée. Or, insister sur la théorie de la relativité ancienne, moins évidente et simple au demeurant qu'on ne le croit, permet d'aborder plus aisément la théorie moderne.

— *Tu parlais de plusieurs avantages qu'on aurait à fréquenter l'histoire des sciences ?*

— Oui, cela permet aussi de mieux comprendre la place de la science dans l'histoire de la société, de ses rapports avec l'économie, la politique, la technique, qui sont devenus si importants aujourd'hui. Mais je voudrais revenir au plaisir de penser, que peut donner la science, avec un exemple, historique justement, qui nous ramène aux Grecs. À quoi servent les nombres ?

— *À compter ?*

— Pour les nombres entiers, oui. Mais les fractions, dont tu as appris qu'on les appelle « nombres rationnels » ?

— *À mesurer, à comparer : j'achète une demi-livre de beurre, tu commandes un quart de vin, etc.*

— Absolument, et cela, les Grecs le comprenaient parfaitement, ils avaient une bonne théorie des proportions qui leur permettait de manipuler ces fractions. Pour comparer les longueurs de deux bâtons, par exemple, il suffisait de trouver une fraction de l'un qui soit aussi une fraction de l'autre ; par exemple, si en cassant l'un en cinq morceaux égaux, on peut retrouver la longueur du second avec trois de ces morceaux, on dira que la mesure de ce dernier vaut 3/5 de la mesure du premier. Ces deux longueurs sont appelées « commensurables », puisqu'il existe une longueur qui permet de les « mesurer-ensemble ».

– *D'accord, mais pas besoin de faire des maths très difficiles pour comprendre ça !*

– Attends. Considère un carré. Suppose que son côté mesure 1 mètre. Quelle est la longueur de sa diagonale ?

– *Je ne sais pas, il n'y a qu'à mesurer !*

– Ah non, ça, c'est ce que ferait un artisan pour fabriquer un meuble, par exemple, et ça lui suffirait bien sûr. Mais nous voulons un résultat qui puisse se démontrer ! Comment peux-tu relier la longueur de la diagonale à celle du carré ?

– *Attends… Et si on essayait le théorème de Pythagore ?*

– Bien sûr, vas-y !

– *Eh bien si j'appelle $x$ la longueur de la diagonale en mètres, le théorème de Pythagore me dit que $x^2 = 1^2 + 1^2 = 2$. Donc $x$ est égal à la racine carrée de deux, $\sqrt{2}$.*

– Et ça fait combien ?

– *J'ai le droit d'utiliser ma calculette ?*

– D'accord, pour une fois…

– *Je trouve 1,414231562*

– C'est un nombre rationnel, ça ?

– *Oui, c'est 1 414 231 562/1 000 000 000*

– Est-ce la valeur exacte de $\sqrt{2}$ ?

– *Je ne sais pas, ma calculette ne me donne que ces neuf décimales.*

– Alors, que faire ?

– *Eh bien, utiliser un ordinateur assez puissant pour nous fournir toutes les décimales, même s'il y en a beaucoup.*

– Quand tu dis « beaucoup », tu penses qu'il s'agit d'un nombre très grand, mais fini ? C'est précisément ce qui te trompe ! On peut démontrer sans trop de difficultés – nous le ferons un autre jour si tu veux – que ça ne peut pas s'arrêter, et que ça ne se répète pas (comme dans certaines fractions, par exemple, $1/11 = 0,9090909...$). Autrement dit, $\sqrt{2}$ n'est pas une fraction. Donc il est nécessaire de concevoir des grandeurs incommensurables, en l'occurrence le côté et la diagonale d'un carré.

– *Alors, ça veut dire qu'il y a des longueurs qu'on ne peut pas mesurer ?*

– En tout cas pas avec ces nombres fraction-naires, qu'on appelle « rationnels ». Il faut, pour les mesurer, utiliser d'autres nombres qui ne sont pas des fractions, des nombres « irrationnels » !

– *Ils portent bien leur nom, parce que cela n'a pas l'air très raisonnable...*

– Oui, mais c'est en fait un jeu de mots involontaire, qui repose sur les deux sens du mot *ratio* en latin, d'une part « rapport » – c'est en ce sens qu'il est utilisé pour nommer les nombres rationnels : des rapports de nombres entiers – et d'autre part « raison » au sens usuel. En vérité, ces nombres sont tout à fait conformes à la raison, ils en sont même le produit ! Et, je vais te surprendre, il y en a même beaucoup plus que des nombres rationnels, tu le verras si tu continues à faire des maths après le lycée.

— *Comment ça, beaucoup plus ? N'y a-t-il pas déjà un nombre infini de fractions, puisque le dénominateur et le numérateur sont des nombres entiers quelconques ?*

— Oui, mais il y a des infinis plus ou moins grands et on peut les comparer !

— *Arrête, tu me donnes le vertige.*

— Parfait ! Tu ressens donc à l'instant ce vertige de la pensée que peuvent procurer les mathématiques. Et qu'y a-t-il de plus intense comme sensation que d'arriver à dominer le vertige ?

— *Oui, c'est comme l'autre jour au sommet de la roche de l'Abysse, j'avais vraiment peur au bord de la paroi presque à pic, mais j'ai réussi à prendre sur moi et à regarder ce précipice avec admiration.*

— Tu sais, tu n'es pas la première à être prise de vertige devant les nombres irrationnels. Selon une légende, les Pythagoriciens les auraient découverts (en fait l'histoire est bien plus ancienne et plus compliquée) et en auraient été choqués au point de garder le secret sur cette démonstration. Mais ce qui est remarquable, une fois de plus, c'est que ce savoir au départ si extraordinaire peut être maîtrisé, expliqué et transmis. Il sert d'ailleurs d'exemple à Platon dans un de ses dialogues les plus fameux, le *Théétète*, pour une profonde discussion sur la nature des concepts et des démonstrations mathématiques. Et les prolongements de cette découverte jusqu'à la maîtrise de la notion d'infinitude (et la comparaison d'infinis différents), œuvre en particulier du grand mathématicien Georg Cantor à la fin du XIX$^e$ siècle, ont suscité de vives résistances avant que de faire désormais partie des mathématiques « normales » et de pouvoir être enseignés dès la fin du secondaire.

– *Oui, mais je ne vois pas bien ce qu'on peut tirer de cet exemple.*

– Tout simplement une certaine confiance dans les capacités de l'esprit humain à dépasser ce qui lui semble naturel et intuitif. Et c'est une leçon d'optimisme qui peut s'appliquer à bien d'autres domaines que les sciences !

– *Mais tu as d'autres exemples scientifiques, dans d'autres domaines que les mathématiques ?*

– Que oui ! On peut même affirmer qu'une connaissance n'est vraiment scientifique que si elle va à l'encontre des évidences premières. Par exemple : le Soleil ne tourne pas autour de la Terre ; quand on combine deux gaz, l'oxygène et l'hydrogène, on obtient un liquide, l'eau ; les humains et les vers de terre ont un ancêtre commun ; le diamant et le charbon sont faits de la même matière ; il y a autant d'énergie (nucléaire) disponible dans un gramme d'uranium que d'énergie (chimique) dans deux tonnes de pétrole ; etc.

– *Alors, la science, c'est plein de paradoxes ?*

— Tu ne crois pas si bien dire. Mais il faut prendre le mot « paradoxe » dans son sens strict et non pas comme un synonyme d'illogisme ou d'absurdité. Étymologiquement, ce terme vient du grec, *para* = contre (comme dans parapluie !) et *doxa* = opinion commune. Un paradoxe, c'est donc une affirmation qui contredit le sens commun, la pensée usuelle. Et si nous avons besoin de la science, c'est justement parce que ce sens commun est insuffisant à nous permettre de comprendre le monde dans des domaines dont nous n'avons pas d'expérience sensible immédiate.

— *Que veux-tu dire ?*

— Que beaucoup des phénomènes qu'étudient les sciences aujourd'hui ne sont pas accessibles directement à nos sens. Par exemple, nous sommes en ce moment baignés de quantités d'ondes radio, télé, etc., que nous ne détectons qu'avec l'aide des appareils *ad hoc*. Et sais-tu que, à chaque seconde, l'ongle de ton petit doigt est traversé par des dizaines de milliards de neutrinos en provenance du Soleil ? Il est donc bien normal que la science soit paradoxale par essence.

— *Bon, d'accord, mais quand on a établi la vérité, paradoxale donc, c'est fini, non ? Le travail de la science devrait finir par s'arrêter quand on aura tout découvert ?*

— C'est ce que croient certains. Ils pensent effectivement qu'un jour on découvrira la vérité ultime et que tout sera expliqué : si on comprend vraiment la physique des particules, croient-ils, on comprendra complètement les atomes et les molécules, donc les assemblages chimiques et biochimiques, donc les êtres vivants, donc les humains, donc leur cerveau et leurs sociétés…

— *Tu n'as pas l'air d'être d'accord avec ce point de vue ?*

— Pas du tout. D'abord, rien ne prouve que nous ne découvrirons pas de nouveaux objets physiques au sein de ceux que nous considérons comme élémentaires, et qu'il faudra alors recommencer le travail de recherche et de compréhension à ce nouveau niveau. Tiens, tu sais d'où vient le mot « atome » ?

— *Du grec, je crois ?*

— Oui. En grec, le verbe *tomein* veut dire couper, tu le retrouves dans divers mots savants comme la tomographie, qui désigne un procédé pour obtenir des images de coupes (virtuelles) de l'organisme. Et donc *a-tomos*, avec le *a* privatif du grec, c'est ce qu'on ne peut pas couper, qui est insécable.

## Des atomes aux extraterrestres

— *Un atome, c'est donc un objet qu'on ne peut pas décomposer, un élément ? Mais pourquoi les scientifiques utilisent-ils toujours des mots grecs incompréhensibles ?*

– Très bonne question, fais-moi penser d'y revenir. Restons-en pour l'instant aux atomes, qui chez les Grecs de l'Antiquité désignaient effectivement ces particules élémentaires indivisibles dont certains philosophes imaginaient que la matière était constituée. Il a fallu attendre le XIX$^e$ siècle pour que chimistes et physiciens arrivent à une conception scientifique des atomes, démontrent leur existence et mesurent leurs tailles, leurs masses, etc. Mais – et voilà encore un paradoxe – à peine avaient-ils fait ces découvertes qu'ils devaient reconnaître le caractère composite des atomes. Loin d'être insécables, ils sont constitués, tu l'as déjà appris, d'une sorte de nuage électronique autour d'un noyau central – lequel, un peu plus tard, se révélera lui-même constitué de protons et nucléons, faits quant à eux de quarks et de gluons.

– *On dirait un jeu de poupées russes !*

– Sauf que, à la différence des matriochkas, les objets successivement emboîtés sont extrêmement différents à chaque niveau, et c'est ce qui en fait tout l'intérêt. Alors, pour en revenir à la question de la fin de la science, l'histoire nous montre bien que nous n'avons aucune garantie (et n'en aurons jamais) que, sous le dernier niveau de la réalité actuellement connu, aujourd'hui celui des quarks, il n'y en a pas un, plusieurs ou même une infinité d'autres. Mais ce n'est au fond pas la raison essentielle pour laquelle je ne crois pas à la possibilité d'un arrêt de la science par épuisement de son matériau.

— *Et quelle est cette raison essentielle alors ?*

— C'est que le monde me semble si riche et si complexe que je ne vois vraiment pas comment l'esprit humain pourrait venir à bout de ce foisonnement et forger des idées assez profondes pour en rendre compte dans sa totalité.

— *Mais tout à l'heure tu faisais l'éloge des capacités de l'esprit humain ! Maintenant, tu as l'air de dire qu'il n'est pas assez puissant et qu'il va rencontrer des limites qui ne lui permettront plus d'avancer. Ce serait une autre façon de voir la science s'arrêter ?*

— C'est une possibilité, mais je ne suis ni assez optimiste pour penser que nous finirons par tout comprendre ni assez pessimiste pour penser que nous finirons par ne plus rien comprendre. Je ne crois pas qu'il existe des limites intrinsèques aux capacités de développement de l'esprit humain, mais je crois que la complexité du monde est infinie, et donc que la tâche de le comprendre n'a pas de fin prévisible autre que celle de l'espèce humaine elle-même.

— *Tu dis « je crois, je ne crois pas… », or il paraît que la science justement n'est pas affaire de croyance mais de connaissance ?*

— Tu as raison, ce que je t'ai dit là, ce n'est pas une affirmation scientifique ! Quand il fait de la science, le scientifique ne fait pas *que* de la science. Il ne peut se débarrasser de sa personnalité, de son bagage culturel, de ses idées philosophiques, de ses états d'âme, et heureusement, car sinon, la science serait une activité proprement inhumaine. Tout le travail de la science consiste à tenter de forger des connaissances aussi dégagées que possible de ce contexte. Mais c'est une tâche sans fin, ce qui en fait la grandeur. Tu sais, il n'y a rien de plus difficile que de donner une définition de mots très généraux tels que « science » (ou « culture », ou « morale », etc.) et c'est pourquoi nous sommes partis dans un dialogue aussi long plein de tours et détours. Mais il y a une caractérisation de la science, sinon une définition, que j'aime beaucoup. Elle n'est pas due à un scientifique ou à un philosophe, mais à un écrivain du XX$^e$ siècle qui s'est beaucoup intéressé à la science, Bertolt Brecht. Il a écrit : « On n'aurait aucune peine et on aurait grand avantage à représenter la science comme un effort pour découvrir le caractère non scientifique des affirmations et des méthodes scientifiques. » Autrement dit, faire de la science, c'est montrer que ce que l'on croyait scientifique ne l'était pas.

– *J'aime bien ce nouveau paradoxe, mais j'aimerais que tu me donnes un exemple.*

– Prenons la question du mouvement de la Terre et du Soleil. D'abord, l'évidence commune, c'est que le Soleil tourne autour de la Terre – il suffit de regarder le ciel au cours des heures. Puis quelques Anciens imaginent, Copernic propose, Galilée et les suivants montrent que, malgré les apparences (dont ils rendent compte), la Terre tourne autour du Soleil. Mais on ne s'arrête pas là ! La mécanique de Newton va nous prouver que Terre et Soleil (je simplifie en oubliant pour l'instant les autres planètes) tournent tous les deux autour de leur centre de gravité commun. Certes, ce centre de gravité est très proche de celui du Soleil, et le mouvement du Soleil est très réduit. Mais ne crois pas que c'est un détail sans importance : tu sais que l'une des grandes découvertes des dernières années est celle des exoplanètes, les planètes qui tournent autour des autres étoiles ?

— *Oui, on en parle souvent à la télé, pour se demander s'il y a des extraterrestres quelque part.*

— Eh bien, une des techniques pour mettre en évidence ces exoplanètes, invisibles pour la plupart, est d'observer le faible mouvement de leur étoile dû à leur présence. En tout cas, tu vois, la science nous apprend que l'Univers ne tourne pas autour de la Terre mais du Soleil, puis elle se corrige, le Soleil et la Terre tournent ensemble…

— *Et après ?*

— Eh bien ça continue, le Système solaire tourne autour du centre de la Galaxie, laquelle Galaxie se déplace aussi, etc.

— *C'est sans fin alors ?*

— Qui peut le dire ? En tout cas, je l'espère, c'est tellement beau de découvrir les aspects toujours nouveaux de l'Univers. Mais ne crois pas que cette nouveauté ne se manifeste que lorsqu'on étudie des objets toujours plus lointains ou toujours plus petits. Le monde à notre échelle reste plein de surprises.

– *Par exemple ?*

– Eh bien, on a longtemps dit que la matière pouvait exister sous trois états.

– *Oui, c'est encore ce qu'on m'a appris : les solides, les liquides et les gaz. Ce n'est pas vrai ?*

– Il n'est pas vrai qu'elle n'existe que sous ces trois états. Tu as sans doute entendu l'expression « cristaux liquides » ?

– *Je l'ai même lue dans des publicités pour je ne sais plus quel appareil électronique, mais je n'ai pas compris ce que ça voulait dire.*

– Dis-moi pourquoi ?

– *Si j'ai bien retenu ce que j'ai appris, un cristal, c'est un morceau de matière où les atomes sont serrés et bien rangés, et un liquide, c'est quand ces atomes sont serrés aussi, mais dans le désordre.*

– C'est bien ça. Alors, imagine un matériau dont les molécules ont des formes de bâtonnets et sont toutes alignées parallèlement, donc bien ordonnées.

– *Comme dans un solide cristallin.*

– Mais où leur répartition dans l'espace est totalement désordonnée.

– *Comme dans un liquide.*

– Exactement. C'est l'une des formes d'organisation (et de désorganisation à la fois) possible pour un « cristal liquide ». Et, comme tu l'as noté, ces substances, découvertes au XIX^e siècle, mais comprises au XX^e, ont désormais diverses applications techniques très courantes : les écrans d'affichage des montres numériques, les thermomètres qui changent de couleur selon la température, etc. Un autre exemple : je vais peut-être t'étonner, mais un des phénomènes physiques encore aujourd'hui les moins bien compris est la turbulence.

– *Qu'est-ce que c'est ?*

– Tout simplement ce qui se passe quand tu ouvres le robinet de l'évier et fais couler l'eau de plus en plus fort. Tu as sûrement remarqué que quand le jet est faible, l'écoulement est bien lisse et régulier, puis, au fur et à mesure que le débit augmente, il devient irrégulier, avec toutes sortes de tourbillons et de remous.

– *Oui, c'est pour ça qu'on met souvent sur les robinets des petits embouts antitourbillon.*

– Figure-toi que les physiciens ont beaucoup de mal à comprendre comment l'écoulement passe d'un de ces régimes à l'autre, et même à décrire l'état d'un écoulement turbulent.

– *Tu veux dire que, pendant que des chercheurs explorent le monde à toute petite échelle avec d'énormes accélérateurs de particules et que d'autres l'étudient à grande échelle avec des télescopes géants, il y en a qui font des expériences dans leur lavabo ?*

– C'est presque ça. Mais évidemment, ils ont besoin de lavabos un peu perfectionnés pour observer en détail les écoulements et faire des mesures précises.

— *Des lavaboratoires ?*

— Pas mal ! Et je te prie de croire que les équations utilisées par les théoriciens pour tenter de décrire et de modéliser ces phénomènes n'ont rien à envier en complexité à celles des physiciens quantiques ou des cosmologistes. Je pourrais multiplier les exemples de cette nouvelle physique à notre échelle : les matériaux granulaires comme les tas de sable, les colles, les gels, etc., recèlent encore bien des mystères passionnants et riches d'applications potentielles.

— *Mais pourquoi dis-tu qu'il s'agit d'une « nouvelle physique » ? N'est-ce pas au contraire la plus ancienne, celle qui s'intéressait aux phénomènes visibles et quotidiens ?*

— J'aurais effectivement dû dire « renouvelée » plutôt que nouvelle. Ce qui s'est passé, c'est que, comme je te l'ai fait remarquer, au cours du XIX$^e$ siècle, les physiciens ont découvert des phénomènes qui échappaient à nos sens immédiats : des ondes invisibles, des atomes imperceptibles, etc., qui ont peu à peu mobilisé l'essentiel de leur attention et donné naissance à ces disciplines exotiques du très grand et du très petit. Mais, heureusement, s'est produit dans la seconde moitié du XX$^e$ un mouvement de retour vers les domaines plus proches de notre échelle et restés en friche.

*— Tu ne me parles que de physique. Qu'en est-il dans les autres sciences ?*

— C'est que je préfère parler de ce que je connais le mieux. Mais, oui, on peut constater des évolutions très semblables dans les sciences de la vie, par exemple. Vers le milieu du XX$^e$ siècle s'est développée la biologie moléculaire qui examinait les propriétés du vivant à l'échelle microscopique…

## Que cachent ces mots barbares ?

*— Comme la molécule en double hélice d'acide, euh, déroxybisonucléique, c'est ça ?*

— Presque : désoxyribonucléique, l'acide désoxyribonucléique plus couramment appelé par son petit nom, ADN. Tiens, c'est l'occasion de revenir sur les mots de la science, si tu veux bien. Pourquoi donc ce nom compliqué ? Qu'entends-tu dans le mot « désoxyribonu-cléique » ?

*— J'entends « nucléique », ça à voir avec le noyau ?*

— D'accord, mais attention, le noyau de la cellule vivante, pas celui de l'atome ! Et puis ?

*— J'entends « oxy », comme oxygène ?*

— Oui, « désoxy », même, ce qui veut dire effectivement « désoxygéné ».

*— Mais qu'est-ce qui est désoxygéné ?*

— C'est là que ça devient rigolo. Il faut partir du radical « ribo- », au centre du mot ; il vient du ribose, molécule dont le nom se termine en -ose, ce qui veut dire, dans la terminologie des chimistes, que c'est un sucre.

– *Comme le glucose ou le saccharose ?*

– Exactement. Quant à « rib- », je te le donne en mille : ce sont les initiales du Rockefeller Institute of Biochemistry où ce corps a été découvert en 1908. Alors tu prends cette molécule, tu la désoxygènes un peu, tu la combines avec de l'acide phosphorique et tu obtiens ce fameux acide désoxyribonucléique, que la nature utilise depuis longtemps pour sa merveilleuse capacité à former de longues chaînes hélicoïdales doubles qui servent à emmagasiner l'information génétique.

– *Ouf ! Mais pourquoi faire tellement compliqué ? Puisque nous y sommes, explique-moi donc pourquoi les scientifiques emploient des mots si incompréhensibles ?*

– Incompréhensibles, non, je viens de te montrer comment on peut les expliquer, mais difficiles à comprendre, certes. Eh bien, c'est parce que les choses ou les idées que les scientifiques étudient sont elles-mêmes difficiles à comprendre. Dans les débuts de la physique moderne, au XVII$^e$ siècle, au temps des Galilée et des Newton, les physiciens étudiaient les phénomènes directement sensibles et visibles, et utilisaient donc des mots pris à la langue commune : force, travail, pour la mécanique, par exemple. Mais ils les utilisaient dans un sens très spécial, bien plus restreint que leur signification courante, au risque d'ailleurs de certaines méprises. Puis ils ont commencé à étudier des phénomènes qui échappent à nos perceptions courantes et n'ont pas de dénominations dans le vocabulaire usuel. Ils se sont donc mis à forger des mots savants, comme on dit, en utilisant des racines grecques et latines, puisqu'elles font partie de notre fonds culturel. Ainsi sont apparus ces termes que tu peux trouver barbares : thermodynamique, électromagnétisme, entropie, etc. Mais tu remarqueras que certains de ces mots, très obscurs pour les profanes encore il y a un siècle, sont maintenant banalisés dans la mesure où ils sont désormais liés à des pratiques techniques courantes ; c'est le cas d'énergie, de potentiel électrique, et de bien d'autres.

— *Mais ce qui est dommage, c'est que ça ne dit rien à l'imagination et que ça n'aide pas à se représenter de quoi il s'agit. Au moins, quand on entend parler de trous noirs ou de supercordes, on peut se faire des images.*

— Trompeuses en général ! Tu mets le doigt sur une vraie difficulté de la science actuelle. Plus elle devient abstraite et s'éloigne du monde quotidien, plus les scientifiques se sentent, à juste titre, obligés de faire un effort pour partager leur savoir. Mais ils cèdent trop souvent aux procédés publicitaires de la *com'* moderne. Je crois personnellement qu'ils se trompent en pensant que l'utilisation de mots simples leur permettra de se faire mieux comprendre. Au contraire, ils multiplient ainsi les malentendus et les fausses interprétations : un « trou noir » n'est pas un trou et il n'est pas noir, les « supercordes » ne sont pas des câbles de matière, et le fameux Big Bang – autrement dit, ce qui est bien moins séduisant en français, le Gros Boum – n'est pas une explosion… Ce sont des métaphores fallacieuses. Au moins, les termes savants du XIXe siècle avaient-ils l'avantage, s'ils n'étaient pas compris, de ne pas être mal compris !

– *Tu veux dire qu'il est impossible aux scientifiques aujourd'hui de communiquer simplement leur savoir ?*

– De le communiquer simplement, oui, puisque ce savoir n'est pas simple, et que c'est bien ce qui en fait l'intérêt. Richard Feynman, l'un des grands physiciens du XXe siècle, qui a lui-même beaucoup fait pour divulguer sa science, racontait l'anecdote suivante. Quelques jours après avoir reçu le prix Nobel, il est brièvement interrogé à la télévision sur ses travaux. Le lendemain, il prend un taxi et le chauffeur le reconnaît : « C'est bien vous que j'ai vu à la télé hier soir ? – Oui – Eh bien, ces journalistes qui voulaient que vous expliquiez vos découvertes en trois minutes, à votre place, je leur aurais répondu que si ça pouvait s'expliquer en trois minutes, ça n'aurait pas mérité le prix Nobel ! »

Le chauffeur de taxi avait raison ! Les scientifiques doivent partager leur savoir. Mais c'est une tâche difficile, au long terme, et toujours à recommencer. Une condition certainement nécessaire (mais pas suffisante) est d'expliquer, sans relâche, les mots utilisés, comme je l'ai fait pour l'ADN.

– *J'aimerais bien qu'on fasse comme ça dans les cours de science ! La plupart du temps, les profs nous balancent ces mots savants comme s'ils avaient été choisis de façon arbitraire, sans nous dire d'où ils viennent.*

– Tu sais, en général, à tes profs, on ne les a pas expliqués non plus ! En tout cas, tu ne devrais pas hésiter à leur demander d'où, et de quand, viennent ces termes. S'ils ne peuvent pas te répondre tout de suite, ils feront certainement l'effort de se renseigner – et te sauront gré de ta question.

– *Ah, justement : je me suis demandé pourquoi on parle de météorites en astronomie et de météorologie quand il s'agit du temps qu'il fait. Qu'est-ce que ça a à voir ?*

– Voilà un cas bien intéressant et qui montre l'intérêt de replonger les sciences dans leur longue histoire ! Il ne s'agit pas ici d'un mot savant moderne, forgé de toutes pièces. En grec ancien, *meteôros* (de *meta*, et *aer*, air), c'est ce qui est « en l'air », et cela désigne donc les phénomènes célestes en général, aussi bien les nuages, la pluie, l'arc-en-ciel, la foudre, que les étoiles filantes. Il faudra attendre bien longtemps, le XIXᵉ siècle en fait, pour que les savants acceptent l'idée que la Terre reçoit des cailloux en provenance de l'espace, suite à une controverse scientifique passionnante qui vaudrait la peine d'être racontée ! C'est depuis cette époque que l'on distingue ce qui se passe dans l'atmosphère, d'où la météo(rologie), et ce qui provient de l'espace interplanétaire, d'où les météorites.

— *Mais avant qu'on se mette à parler des mots de la science, à propos de l'acide, euh, désoxyribonucléique, c'est bien ça ?, tu voulais me dire quelque chose sur l'évolution de la biologie.*

— Oui, je voulais te montrer l'analogie avec celle de la physique. Avant l'avènement de la biologie moléculaire, les sciences de la vie s'occupaient des êtres vivants en tant que tels, de leurs fonctions (respiration, digestion, reproduction, etc.) à l'échelle du vivant lui-même. Puis ils ont compris, comme les physiciens voulant expliquer le comportement de la matière, qu'il était très utile de descendre à l'échelle moléculaire.

— *Et alors, c'est formidable, non, de pouvoir comprendre ces phénomènes compliqués en les ramenant à des mécanismes plus simples ?*

— Bien sûr, et cette biologie moléculaire nous a donné des connaissances nouvelles et profondes sur l'hérédité, sur certaines maladies, etc.

— *Quel est le problème alors ?*

— Cela a eu pour conséquence une relative

perte d'intérêt du milieu scientifique dans son ensemble pour l'étude des êtres vivants dans toute leur complexité. Mais, comme en physique, un retour a heureusement eu lieu dans la seconde moitié du xxᵉ siècle vers l'étude des animaux dans leur milieu naturel et pas seulement dans les laboratoires. Autrement dit, les sciences de la vie sont redevenues pleinement des sciences de la nature.

## Pourquoi toutes ces sciences ?

— *Tu ne m'as pas encore expliqué pourquoi il y a tant de sciences différentes. Ne peut-on les rassembler en une seule « grande science » ? Par exemple, la chimie et la physique, ça parle de la même chose, des atomes et des molécules, non ?*

— C'est un vieux rêve effectivement que d'avoir une seule science qui pourrait traiter de n'importe quel phénomène. Mais l'histoire semble aller en sens contraire et séparer les disciplines en sous-disciplines et même en sous-sous-disciplines. On vient d'ailleurs de le voir avec l'exemple de la météorologie et de l'astronomie, qui ne se sont différenciées qu'assez tard. C'est que, comme je te l'ai dit, il ne semble pas exister une méthode scientifique unique qui permettrait de traiter toutes les questions de la même façon. Autrement dit, une fois encore, la complexité et la richesse du monde le font déborder de tout cadre que nous voudrions lui assigner par avance. Ses objets sont si complexes que nous avons besoin de différents outils, matériels et intellectuels, pour les comprendre. Mais cela n'est pas particulier à la science ! Dans la plupart des domaines de l'activité humaine, le développement entraîne la diversification. Et ce sont des outils toujours plus spécialisés et adaptés à des tâches particulières que nous utilisons. Considère, par exemple, cette banale pratique : couper. Eh bien, si les premiers hominiens utilisaient pour ce faire un seul genre d'outil, une pierre aux bords tranchants, nous en avons aujourd'hui toutes sortes : haches, scies, couteaux, massicots, ciseaux, rasoirs, scalpels, etc. Et dans chacune de ces catégories, des dizaines de types différents ; rien que pour les couteaux, ceux, nombreux, du boucher, à table les couteaux à viande, à poisson, à découper, les poignards de chasse ou de guerre, les canifs à lames multiples, que sais-je encore. De même, les ciseaux du tailleur ne sont pas ceux de la brodeuse, le tournevis du mécanicien automobile pas celui de l'horloger. Pourquoi donc en irait-il différemment pour les outils intellectuels et les appareils expérimentaux de la science ?

— *Peux-tu illustrer ça sur le cas de la physique et de la chimie ?*

— Tout à fait. La physique, atomique et moléculaire en tout cas, s'occupe effectivement des mêmes objets que la chimie. Mais elle s'intéresse à d'autres questions, comme le comportement fin des électrons dans l'atome : quelles énergies ils peuvent avoir, quels rayonnements ils émettent quand on les excite, etc. Le physicien dispose pour ce faire d'une théorie très sophistiquée, la quantique, avec un appareil mathématique élaboré. Mais si cette théorie explique très bien ce qui se passe pour des atomes avec un nombre limité d'électrons, la résolution de ses équations devient vite trop difficile pour des atomes plus riches en électrons, même avec des ordinateurs puissants. Le chimiste, qui s'intéresse plutôt à la façon dont les atomes peuvent se combiner, ne cherche pas à obtenir une description aussi détaillée et utilisera des concepts moins précis mais plus efficaces, comme la notion de valence que tu as dû commencer à apprendre ?

— *Oui, avec les doublets de Lewis et tout ça ?*

— Exactement. Pour reprendre l'analogie que j'esquissais plus haut, les outils du chimiste et du physicien diffèrent comme les ciseaux de la couturière et le scalpel du chirurgien, dont tu vois bien qu'ils ne sont pas interchangeables. Ou encore, considère la géologie et l'astronomie qui, toutes deux, s'intéressent à notre planète. L'astronome cherche à calculer son mouvement dans l'espace et utilise très efficacement à cet effet les équations de la mécanique. Il peut légitimement ne guère se préoccuper de la nature des roches ou de la forme des continents à la surface de la Terre. Mais ce sont justement ces questions qui intéressent le géologue et pour lesquelles il ne peut utiliser les mêmes théories mathématiques.

— *On dit pourtant que les mathématiques servent aux autres sciences ?*

— Ce n'est pas faux, mais elles ne servent pas de la même façon. La physique s'intéresse à des objets de structure simple (ce qui ne veut pas dire de comportement simple !) pour lesquels on peut utiliser des outils d'analyse très fins, ceux que fournissent les mathématiques. Mais ces outils, à cause de leur finesse même, sont fragiles et impuissants devant des objets plus compliqués – de même que tu ne peux couper un arbre avec un petit canif. Dans les autres sciences, en général, les mathématiques peuvent intervenir pour établir des statistiques, traiter des configurations géométriques ou autres problèmes particuliers. Mais les notions de base de ces sciences, contrairement au cas de la physique, ne reposent pas sur les mathématiques. Compare, à titre d'exemple, deux notions fondamentales, l'une en physique, l'autre en chimie : dans la première, le concept de force est mathématisé, c'est un vecteur, alors que dans la seconde, la fonction acide n'a rien de mathématique dans sa définition.

— *Jusqu'ici, tu as parlé des sciences comme si elles ne s'occupaient que du monde naturel, des atomes, des animaux, des cailloux. Mais j'entends parfois tes amis parler de « sciences humaines et sociales », et je me souviens d'une grande discussion où un physicien affirmait que la sociologie n'était pas vraiment une science, ce qui évidemment ne faisait pas plaisir au sociologue ! Toi, quel est ton avis ?*

– Tout dépend de ce qu'on appelle « science » et nous avons déjà vu à quel point il est difficile d'en donner une définition, ou même une simple caractérisation. Longtemps, on a considéré la physique comme le modèle même de ce que devait être une science – pour le dire en deux mots, une connaissance objective et rigoureuse. L'objectivité, c'est le contraire de la subjectivité, cela veut dire que le sujet, le scientifique en l'occurrence, ne devrait pas laisser ses opinions, ses croyances, sa situation sociale, influer sur sa recherche. Ce critère d'objectivité, s'il semble s'étendre sans difficultés à l'examen de tous les objets naturels inertes, pose déjà des problèmes quand on s'intéresse aux animaux…

– *Oui, je n'ai pas du tout aimé quand on a fait des expériences en cours sur un lapin, ça me rappelait trop mon petit Pompon.*

– En tout cas, la notion d'objectivité rencontre de gros obstacles quand on s'intéresse aux humains, que ce soit à leur esprit individuel (la psychologie) ou à leur organisation collective (la sociologie), puisque le chercheur est alors lui-même partie prenante de ce qu'il étudie et n'est donc pas neutre à l'égard de ce qu'il va découvrir.

— *Tu veux dire que ses opinions politiques ou ses croyances religieuses peuvent influer sur son travail ?*

— C'est bien ça. Pense aux savants du XIX$^e$ siècle dont beaucoup partageaient une vision raciste de l'humanité, où, selon la couleur de leur peau, certains humains seraient par nature inférieurs à d'autres, intellectuellement au moins. Cette opinion va évidemment influer sur la façon dont ils vont mener leurs recherches, puisqu'ils vont s'efforcer de démontrer ce qu'ils croient par avance. C'est effectivement ce qui s'est passé, et on a vu beaucoup d'anthropologues (ceux qui étudient la nature humaine) faire des mesures de la taille du cerveau, des angles de la face, etc., et en déduire que les Africains étaient plus proches des singes que les Européens, ce qui, lorsqu'on refait ces mesures sans préjugés, se révèle complètement faux. Ou, pour prendre un autre exemple, encore actuel, les économistes, vivant dans un monde capitaliste inégalitaire dominé par la finance et le marché, auront bien du mal à imaginer une société plus juste où l'argent ne jouerait pas un rôle dominant et à montrer qu'une telle société peut fonctionner.

— *C'est clair. Alors, tu penses aussi qu'il ne peut y avoir de vraies sciences humaines et sociales parce qu'elles ne peuvent pas être objectives ?*

— Eh bien non, ce n'est pas mon opinion. Pour la bonne raison d'abord qu'il n'y a pas

d'objectivité absolue même dans les sciences
de la nature.

## Objectivité et rigueur – impossibles ?

— *Je ne comprends pas en quoi les opinions d'un
chercheur peuvent influer sur sa façon d'étudier un
microbe ou un atome ?*

— C'est qu'avant de se lancer dans la
recherche, tout scientifique a des représentations du monde, qui tiennent à la culture de
son époque – par exemple au rôle qu'y joue la
religion –, aussi bien qu'à sa personnalité. Cela
va d'abord influer sur ses intérêts, sur le choix
de ses sujets de recherche, à l'échelle collective
et pas seulement individuelle. Par exemple,
pour les sciences de la vie, un grand débat a
opposé au XIX$^e$ siècle ceux qui pensaient qu'un
être vivant ne peut se réduire à la machinerie
physico-chimique de son organisme, et qu'il
doit être animé en plus par un « principe vital »
indépendant, et ceux qui, au contraire, niaient
la nécessité de faire appel, pour expliquer les
phénomènes vitaux, à un tel principe extérieur.

— *Mais qu'est-ce que ça change à la façon de
faire de la recherche ?*

— Tout simplement que les moyens expérimentaux ne seront pas les mêmes. Si tu crois
à l'existence d'un principe vital, tu ne peux
étudier les phénomènes de la vie que sur des

animaux vivants ! Au contraire, si tu n'y crois pas, tu penses que la dissection d'un animal mort peut t'apporter de précieux renseignements sur le fonctionnement de son organisme et tu auras donc une autre stratégie de recherche.

— *Pour les sciences physiques, c'est quand même plus simple, non ?*

— Pas vraiment, même si c'est souvent moins visible. Tiens, je vais te donner un exemple historique très important. Tu sais que Galilée a, au début du XVIIᵉ siècle, en quelque sorte fondé l'astronomie moderne ?

— *Oui, oui, je me souviens bien que tu nous as amenés au musée d'Histoire des sciences de Florence où nous avons vu ses instruments d'observation.*

— Et tu sais donc que ce qu'il a apporté d'essentiel, c'est l'idée que le monde céleste et le monde terrestre ne font qu'un et que les lois physiques y sont les mêmes, à l'encontre de la tradition aristotélicienne qui séparait le monde terrestre, le nôtre, monde de l'imperfection et du changement, du monde céleste, monde de la perfection et de l'immuabilité. En effet, après avoir tourné sa lunette vers le ciel, Galilée découvre, en quelques semaines de l'hiver 1609-1610, les montagnes de la Lune (qui n'est donc pas parfaitement sphérique et ressemble à la Terre), les satellites de Jupiter (ce qui montre que la Terre n'est pas un centre de rotation absolu), etc. Tu pourrais penser que ces observations, puisque chacun pouvait les confirmer en mettant l'œil à la lunette, allaient convaincre d'un coup tous les tenants de l'ancienne vision du monde. Mais non ! En effet, argumentèrent certains, la lunette est un objet fabriqué avec des matériaux du monde terrestre ; qu'elle soit capable de rendre fidèlement compte de sa nature, comme on peut le vérifier en observant des navires au loin, rien d'étonnant. Mais comment peut-on être certain que, de par sa nature terrestre même, la lunette ne distord pas les apparences d'un monde céleste complètement différent et qu'on peut faire confiance aux observations qu'elle permet ? Bien sûr, nous sommes convaincus aujourd'hui que Galilée avait raison, mais l'argument de ses adversaires, sur le plan logique, était imparable. Tu vois comment une certaine conception du monde, d'ordre philosophique et même métaphysique, joue sur le développement de la science.

— *C'est encore plus grave pour ceux qui étudient les hommes et leurs sociétés ?*

— Certes, mais je voulais te montrer qu'il n'y a pas d'un côté des recherches qui seraient parfaitement objectives et de l'autre des recherches totalement subjectives. L'objectivité n'est jamais garantie et c'est un aspect essentiel du travail scientifique que de la rechercher, de la conforter — en la remettant en cause aussi souvent qu'il est nécessaire. L'histoire des sciences humaines montre bien que ce travail critique, s'il est difficile, est possible. Reprenons l'exemple de l'anthropologie : sous l'influence du changement de mentalité qui a petit à petit éliminé la notion de « races inférieures » (même si ce n'est pas encore complètement gagné !), on s'est aperçu que les études qui concluaient à des inégalités radicales au sein de l'humanité suivant la couleur de peau ou autres critères, étaient biaisées et erronées. Et puis, surtout, la séparation entre sciences de la nature et sciences de l'homme a perdu une bonne partie de sa netteté.

– *Quand même, ce n'est pas pareil d'étudier des molécules pour un médicament et une population d'Amazonie ?*

– Ce n'est pas pareil, mais justement, dans le cas que tu mentionnes, ce n'est pas complètement séparé ! Les populations forestières ont une excellente connaissance de leur milieu et utilisent pour se soigner certaines plantes dont on s'est aperçu qu'elles contiennent des substances chimiques fort utiles en pharmacologie. Tu vois qu'une science humaine, l'ethnologie, peut venir à l'aide d'une science de la matière, la chimie. On peut prendre un autre exemple, très important, celui de l'éthologie, autrement dit la science du comportement animal. Une question qui fascine depuis longtemps les humains est celle de leurs différences et ressemblances avec les grands singes. Aussi, les chercheurs ont-ils observé le comportement des chimpanzés dans des laboratoires spécialisés afin de tester leurs capacités de réflexion et de communication. Puis, d'autres chercheurs – surtout des chercheuses en fait – se sont dit qu'il serait plus probant de faire des observations sur le terrain, là où les singes vivent naturellement. Et là, surprise – qui n'aurait pas dû en être une –, les chimpanzés se révèlent dans leur milieu naturel bien plus intelligents, si je puis dire, que dans les cages où ils étaient enfermés. Ils montrent des capacités d'utilisation et même de fabrication d'outils – une culture technique ! –, des comportements sociaux de groupe très élaborés – une culture politique ! –, qui les rendent bien plus proches des humains qu'on ne le pensait. Du coup, c'est la frontière même entre sciences humaines et sociales d'un côté et sciences de la nature de l'autre qui devient pour le moins floue.

– *Quand on a commencé à parler de cette question, tu as dit que, selon une conception que tu semblais critiquer, on reconnaissait une science à ce qu'elle devait fournir des connaissances objectives et rigoureuses. Tu m'as bien montré que la question de l'objectivité est en fait subtile. Mais la rigueur, c'est quand même indispensable, non ? N'est-ce pas là que les sciences humaines et sociales posent problème ?*

– Si, mais tout comme pour l'objectivité, on doit avoir une conception souple de la rigueur. On pourrait dire que la rigueur, c'est un ensemble de conditions et de critères à remplir pour qu'une connaissance soit acceptée comme valide. Mais ces conditions ne sont pas données une fois pour toutes par je ne sais quel principe supérieur. Elles résultent d'un accord entre les scientifiques, rarement unanime d'ailleurs, et qui change avec le temps, et dépend évidemment de la discipline.

Prenons le cas extrême, celui des mathématiques, qui sont de l'avis général considérées comme la plus rigoureuse des sciences, puisque tout résultat doit y être démontré. Mais l'idée même de ce qu'est une « bonne » démonstration évolue au cours du temps. Bien des démonstrations anciennes sont aujourd'hui considérées comme non probantes car insuffisamment rigoureuses, même si leurs résultats sont toujours valides. C'est le cas du théorème de Pythagore, qui d'ailleurs n'est plus un théorème mais un axiome. Et la plupart des avancées du calcul infinitésimal au XVIII$^e$ siècle, dues à Newton, Leibniz, etc., ont été complètement reformulées au XIX$^e$ à la suite d'une évolution des standards de rigueur – qui continue de nos jours.

Alors, tu penses bien que dans les sciences sociales et humaines, où l'on ne parle d'ailleurs pas de démonstration, mais plutôt d'argumentation, la notion de rigueur n'est pas évidente et fait l'objet de débats incessants entre les spécialistes.

– *Bon, mais alors si ni l'objectivité ni la rigueur ne sont des idées claires, même dans les sciences dites exactes, je ne vois pas comment on peut affir-*

mer qu'une connaissance peut être considérée comme scientifique.

– Je n'ai pas dit qu'objectivité et rigueur n'avaient aucun sens ! Ce sont des buts, à redéfinir en permanence.

– *Être objectif est un objectif…*

– Très bien, oui. On pourrait dire que le travail scientifique, c'est cet effort pour tendre vers l'objectivité et la rigueur – même si ce sont des buts inatteignables.

– *Mais ça n'est pas un peu frustrant de travailler sans jamais être certain qu'on arrive à une réponse définitive ?*

– Peut-être pour certains, mais alors il vaut mieux qu'ils ne deviennent pas scientifiques. Ceux qui choisiraient la science pour se rassurer en arrivant à des vérités absolues et définitives risquent effectivement d'être très déçus. Cela a d'ailleurs été mon cas au début de mon travail de chercheur. Mais j'ai fini par trouver au contraire une grande satisfaction à penser qu'aucune question n'est jamais définitivement résolue et que l'entreprise est sans fin. Tu sais, c'est un peu comme quand on part en randonnée. Il ne faut pas penser que c'est le but seul qui compte et ne trouver de satisfaction que lorsqu'on arrive au sommet visé ou au refuge choisi. Il est bien plus gratifiant d'apprécier la ballade en elle-même, et de trouver l'essentiel de son plaisir en cherchant la voie à suivre et en admirant le paysage qui change au long du parcours. De toute façon, l'essence même de la recherche scientifique se trouve moins dans les réponses qu'elle apporte que dans les questions qu'elle pose.

— *Que veux-tu dire ?*

— Que la plupart des questions que l'on se pose au départ d'une recherche aboutissent à des impasses, et que l'on est conduit à se rendre compte que la question est trop compliquée ou plus simplement mal posée, et n'a pas de réponse ! Il faut alors la reprendre, en modifier les termes, encore et encore, jusqu'à ce qu'elle débouche sur un chemin qui mène au but. Ce serait peut-être une autre définition possible de la science : l'art de transformer les questions jusqu'à ce qu'elles aient une réponse.

Par exemple : nous voyons autour de nous que tous les objets lourds tombent quand on les lâche. Alors, pourquoi la Terre ne tombe-t-elle pas ? Tiens, que répondrais-tu ?

— *Attends, laisse-moi réfléchir… Eh bien les objets lourds tombent vers le centre de la Terre, non ? Donc elle ne peut pas « tomber » vers son propre centre !*

— Très bien, tu vois donc que tu ne réponds pas à la question, tu montres que c'est une question mal posée, sans réponse. Mais après, tu peux te mettre à poser d'autres questions, qui, elles, auront une réponse : si elle ne « tombe » pas, la Terre a-t-elle quand même un mouvement ? Si oui, qu'est-ce qui la fait bouger ? Etc.

— *Mais pourquoi as-tu dit que la science, c'était* « *l'art de, etc.* » ?

— Pour le plaisir d'une formule un peu provocante qui rappelle qu'il n'existe pas de méthode systématique et générale pour effectuer ce travail de transformation du questionnement. Il faut bien sûr entendre ici « art » au sens de l'artisanat, des « arts et métiers » si tu veux.

## Des connaissances
## autres que scientifiques

— *Bon d'accord, mais si la science ne me permet pas de répondre à la question que je me pose, cela ne veut pas dire que cette question est sans intérêt !*

— Tu as absolument raison, et c'est très important de l'affirmer haut et fort : la science ne répond pas à toutes les questions. Je dirais même qu'elle ne peut répondre qu'à un nombre de questions assez limité par rapport à toutes celles que l'on rencontre dans une vie humaine. Pense un peu aux questions que tu te poses ou qu'on te pose ou que tu entends autour de toi, souvent, tous les jours...

— *« Ces chaussures, elles te plaisent ? », « Est-ce que tu as sommeil ? », « Es-tu toujours copine avec Camille ? », « Est-ce que je fais mon problème de maths ce soir ou bien j'attends demain ? »* — oui, c'est vrai, on ne voit pas ce que la science viendrait faire là.

— Et cela touche aux questions les plus graves que l'on est amené à se poser : « Est-ce qu'il (ou elle) m'aime ? », « Est-ce que je dois voter pour A ou pour B ? ».

— *C'est ça qui est angoissant, on n'a pas de réponse claire. Au moins en maths, on sait que si $a = 5$ et $b = 8$, alors $b > a$.*

— Mais il y a quand même des questions auxquelles tu es parfois sûre de connaître la réponse, même si elles ne relèvent pas de la science. « Est-ce que je l'aime ? », tu finis bien par le savoir, sans résoudre d'équation ni faire une expérience…

— *Quelquefois quand même, dans ce cas, il n'y a que l'expérience qui permet de décider !*

— Bien vu ! Je voulais évidemment parler d'une expérience scientifique, de laboratoire… De même, « Vaut-il mieux vivre dans une démocratie ou sous une dictature ? ».

Il y a d'autres formes de connaissance que la connaissance scientifique, des connaissances qui peuvent être de nature affective, artistique, poétique, sociale, etc. La science est une activité humaine parmi d'autres et son intérêt tient justement à sa singularité et à sa spécificité.

— *J'aimerais revenir à une question que nous avons à peine abordée : celle de l'utilité pratique des sciences. Tu m'as bien expliqué que, dans l'Antiquité grecque, la science théorique n'avait pas d'applications techniques ?*

– C'est vrai pour l'essentiel, et ça le reste pendant des siècles.

– *Mais aujourd'hui, ce n'est plus le cas ?*

– Non, certes. La connaissance scientifique, aujourd'hui, est devenue extrêmement importante pour le progrès technique. C'est elle que nous utilisons pour inventer et fabriquer de nombreux objets qui nous permettent de vivre comme nous vivons – et mieux que nos ancêtres. La science est devenue utile pour notre vie quotidienne : les objets techniques qu'elle nous procure facilitent notre vie. Grâce au téléphone, nous pouvons parler à quelqu'un qui peut être très loin. Grâce à l'électricité, nous pouvons nous éclairer, nous chauffer, avoir des lave-linge et autres appareils. Grâce aux vaccins, aux médicaments, nous pouvons nous soigner et vivre plus vieux.

– *J'ai toujours du mal à imaginer que, quand tu étais petit, tu n'avais pas de télévision, pas de téléphone portable, pas d'ordinateur…*

– Note que beaucoup des objets les plus utiles dans les divers métiers, comme dans ta vie personnelle, ne doivent rien à la science. On peut même dire que, d'une certaine façon, la majorité des objets que fabrique et utilise l'humanité ne sont *pas* fondés sur des connaissances véritablement scientifiques. Ton boulanger n'a pas besoin de connaître la chimie pour faire du pain. Voici des siècles, voire des millénaires, qu'on sait faire du pain, bien avant que la chimie soit devenue une science ! Les maçons, les menuisiers, les jardiniers, toute une série de métiers artisanaux et industriels recourent peu aux connaissances scientifiques et aux objets de haute technologie. Et regarde autour de toi : tu utilises encore des vêtements en tissu, des meubles en bois, de la vaisselle en porcelaine, du papier et du crayon, tous objets quotidiens essentiels d'origine très ancienne.

– *D'accord, mais il y a en plus des ordinateurs, des fours à micro-ondes, des* DVD. *Alors quand est-ce que la technique a changé, pourquoi et comment ?*

– Pour essayer de comprendre la nature compliquée des rapports entre la science et la technique, commençons par remonter très loin, il y a trois millions d'années, jusqu'à nos grands ancêtres qui n'étaient pas encore des hommes, les australopithèques par exemple. Ces hominiens ne sont manifestement plus des singes, ils peuvent marcher debout, et surtout, ils possèdent des outils. Ce ne sont pas les très belles pierres taillées que fabriquent les hommes préhistoriques plus récents, mais des cailloux assez grossièrement travaillés, de vrais outils cependant. Il s'agit donc de technique. Tout au long de l'histoire de l'humanisation progressive, des passages à des espèces de plus en plus évoluées, de l'Australopithèque à l'*Homo erectus*, puis à l'*Homo sapiens*, jusqu'à nous donc, la technique s'améliore.

– *Oui, j'ai vu à la télé* La Guerre du feu *qui le montre bien.*

– Même si ce film donne une image quelque peu caricaturale de ce que nous savons de la préhistoire… On apprend donc à maîtriser le feu, puis à cultiver les plantes, à domestiquer les animaux, à faire de la poterie, à travailler le métal. Cela se passe il y a des milliers d'années. Les hommes deviennent sédentaires. Au lieu d'errer dans la nature, de nomadiser, ils commencent à bâtir des villages, ils cultivent des champs, apprivoisent des animaux et les élèvent. Pendant toute cette période, la technique accomplit des progrès gigantesques. Ces innovations techniques, ces inventions se font de façon totalement empirique, spontanée – et lente ; ce ne sont pas des savants qui réfléchissent, qui se demandent pourquoi, quand l'éclair tombe dans une forêt, des arbres prennent feu, et s'il n'y aurait pas moyen de comprendre ce phénomène en étudiant le feu dans des laboratoires spécialisés. Pendant la plus grande part de l'histoire de l'humanité, des millions d'années, la technique s'est développée ainsi, sans s'appuyer sur des connaissances proprement scientifiques. Ce qu'on peut appeler science, une activité intellectuelle spécialisée, qui ne relève pas de la seule expérience quotidienne, apparaît ainsi dans les civilisations de l'écriture. Ces civilisations ne remontent pas très loin dans le temps par rapport aux centaines de milliers d'années d'âge de l'humanité. Elles apparaissent voici quatre, cinq mille ans. Mais même à cette époque, quand la science émerge, elle le fait pour des raisons qui n'ont rien à voir avec son utilité pratique, nous l'avons bien vu avec l'exemple de la civilisation grecque.

## De la technique à la science, et retour

— *Bon alors, quand est-ce que ça change ?*

— Puisque tu es impatiente, je saute plusieurs siècles pour en arriver au moment crucial qui annonce l'ère moderne : ce qui se passe en Europe au début du XVIIe siècle. Il y a quatre siècles, en Italie, en France, en Angleterre, aux Pays-Bas, on en arrive à penser que la science peut et doit être pratiquement utile, et que c'est une raison pour la développer systématiquement. Ces deux idées qui étaient séparées dans le monde grec, d'une part le désir de connaître le monde, d'autre part la volonté de transformer le monde, vont converger. Pourquoi ? Parce que ceux qui agissent sur le monde, les artisans, les commerçants, qui jusqu'à cette époque de l'histoire étaient dominés, avaient un rôle social secondaire, acquièrent un nouveau statut. Dans l'Europe de la Renaissance, ils gagnent du pouvoir et deviennent ce qu'on appelle les bourgeois des grandes villes européennes, échappant peu ou prou à la domination féodale. Du coup, leurs activités pratiques, manuelles, ne sont plus considérées comme des activités vulgaires et méprisables. Un des grands fondateurs de la science moderne, Galilée, cherchant à développer la science physique, se rend sur les chantiers de l'arsenal de Venise pour y observer ce que font les charpentiers, cordiers, forgerons, etc. Il en tire des idées neuves pour la mécanique qu'il va fonder. Il commence à faire de la science comme on n'en avait guère fait auparavant : il ne se contente pas d'observer le monde, de regarder comment les pierres et les feuilles tombent, comment les astres se déplacent dans le ciel, mais il fait des expériences. Il met en scène lui-même des phénomènes naturels, grâce à des instruments qu'il construit. Au lieu de regarder une pierre tomber toute seule, il fait rouler des petites billes sur un plan incliné, modifie les conditions de l'expérience, observe et fait des mesures.

— *Décidément, tu l'aimes beaucoup ce Galilée !*

— Je l'avoue volontiers, non seulement parce que c'était un génie de la science, mais aussi parce qu'il était un homme de culture et a joué un rôle historique important – et que sa personnalité était fort intéressante. Mais il n'est évidemment pas le seul fondateur de la science moderne. Héritage donc de Galilée et de ses contemporains, comme Descartes en France, cette science a enfin un lien étroit avec la technique qui la féconde. Ce lien va devenir réciproque. Descartes écrit dans un texte célèbre que, grâce à la science, les hommes vont pouvoir devenir « comme maîtres et possesseurs de la nature ». Cette nature qui nous est étrangère, qui est violente, avec les orages, les tremblements de terre, le gel et la canicule, cette nature qui nous oppresse et contre laquelle nous avons du mal à nous défendre, nous allons pouvoir nous l'approprier, en devenir les « maîtres et possesseurs » grâce à la connaissance des sciences modernes. À la même époque, un penseur anglais, Francis Bacon, écrit : « savoir, c'est pouvoir ». Autrement dit, si je *sais* quelque chose, je peux *faire* quelque chose.

— *C'est donc au XVII<sup>e</sup> siècle que la science va permettre de développer la technique ?*

— Non, pas encore ! Car ce programme de Bacon et de Descartes, on ne le dit pas assez, reste purement idéal, pratiquement sans application durant deux siècles. Pendant le XVII<sup>e</sup> et le XVIII<sup>e</sup> siècle, la science progresse : de grands scientifiques comme Newton développent beaucoup de connaissances nouvelles en physique, et d'autres savants le font en chimie, en biologie, mais ces connaissances n'ont que très peu d'utilisations. La technique continue à se développer d'elle-même : ce n'est pas sur la nouvelle science que reposent les améliorations des moulins à vent ou des bateaux. D'où le constat quelque peu ironique de d'Alembert – tu vois qui c'est ?

– *Oui, un mathématicien et l'un des maîtres d'œuvre, avec Diderot, de la grande* Encyclopédie *au* XVIII<sup>e</sup> *siècle.*

– Eh bien il écrivait, dans le « Discours préliminaire » de ladite *Encyclopédie* : « Cependant, quelque chemin que les hommes […] aient été capables de faire, excités par un objet aussi intéressant que celui de leur propre conservation ; l'expérience et l'observation de ce vaste Univers leur ont fait rencontrer bientôt des obstacles que leurs plus grands efforts n'ont pu franchir. L'esprit, accoutumé à la méditation, & avide d'en tirer quelque fruit, a dû trouver alors une espèce de ressource dans la découverte des propriétés des corps uniquement curieuses, découverte qui ne connaît point de bornes.

» En effet, si un grand nombre de connaissances agréables suffisait pour consoler de la privation d'une vérité utile, on pourrait dire que l'étude de la Nature, quand elle nous refuse le nécessaire, fournit du moins avec profusion à nos plaisirs : c'est une espèce de superflu qui supplée, quoique très imparfaitement, à ce qui nous manque.

» De plus, dans l'ordre de nos besoins et des objets de nos passions, le plaisir tient une des premières places, et la curiosité est un besoin pour qui sait penser, surtout lorsque ce désir inquiet est animé par une sorte de dépit de ne pouvoir entièrement se satisfaire. Nous devons donc un grand nombre de connaissances simplement agréables à l'impuissance malheureuse où nous sommes d'acquérir celles qui nous seraient d'une plus grande nécessité. »

Autrement dit, faute de pouvoir utiliser nos connaissances, profitons au moins du plaisir de penser qu'elles nous donnent. Il va falloir attendre la fin de ce XVIII$^e$ siècle et le début du XIX$^e$, pour que la science féconde enfin la technique — depuis deux cents ans à peine, donc. À partir de ce moment, tout va très vite, notamment avec la chimie d'abord, puis avec l'électricité et le magnétisme, l'électronique et l'énergie nucléaire au XX$^e$ siècle, et aujourd'hui les sciences biologiques qui ont des applications nombreuses. Mais tu dois bien comprendre que ce monde technoscientifique dans lequel nous vivons est très récent à l'échelle de l'histoire humaine.

— *Alors quand on nous dit tout le temps que la recherche scientifique a pour objectif principal d'impulser l'innovation technique et industrielle, cela ne va pas de soi ?*

— Et moins même que tu ne le crois ! Car au XX$^e$ siècle encore, quand les physiciens essayent de comprendre comment est fait l'atome, qu'ils découvrent le noyau atomique et les forces gigantesques jusque-là inconnues qu'il contient, ils ne le font pas du tout *pour* pouvoir fabriquer des centrales nucléaires et des bombes. Ils pensent même qu'il n'est pas possible de libérer et d'utiliser l'énergie nucléaire. Un très grand physicien, Rutherford, celui qui a découvert le noyau atomique, déclarait dans les années 1930 que jamais l'humanité ne pourrait maîtriser cette énergie. Il se trompait complètement puisque, à peine quinze ans plus tard, les bombes atomiques éclataient sur Hiroshima et Nagasaki. Autre exemple, quand Einstein découvre en 1917 cet effet quantique qu'on appelle l'« émission stimulée de rayonnement », il n'imagine même pas que cela conduira dans les années 1950 à l'invention du laser. Et les inventeurs du laser, pour qui c'est avant tout un instrument de recherche scientifique, fragile, compliqué et cher, n'imaginent pas plus que vers la fin du siècle ce dispositif, miniaturisé et ne valant plus que quelques euros, servira à lire la musique enregistrée sur des CD.

— *Si je comprends bien, on faisait de la recherche sans penser à ses applications possibles et c'est après coup seulement qu'on se demandait si ses résultats pouvaient être utilisés ?*

— C'était à peu près comme ça au XIX$^e$ et au début du XX$^e$ siècle. Mais une nouvelle étape commence pendant la Seconde Guerre mondiale. Il se trouve que c'est en 1938 que l'on découvre le phénomène de fission des noyaux atomiques, qui permet la libération de l'énergie nucléaire.

— *On nous en a un peu parlé en cours, mais je n'ai pas vraiment compris.*

— Une fission, c'est une cassure. En deux mots, si un neutron percute un noyau lourd (genre uranium ou plutonium), ce noyau se brise et on obtient à la fin deux noyaux plus légers et deux ou trois neutrons. Ces neutrons à leur tour vont pouvoir aller casser des noyaux lourds, etc. Cela peut engendrer une réaction en chaîne, et l'énergie initiale libérée dans la fission d'un seul noyau, très petite à notre échelle, va être amplifiée dans une proportion gigantesque. On obtient ainsi, pour une quantité de matière donnée, un dégagement d'énergie de beaucoup supérieur à ce que donnent tous les autres processus connus, combustion, choc, etc.

— *C'est comme une avalanche, en quelque sorte ?*

— Tout à fait. Or cette découverte arrivant pratiquement au même moment que le début de la Seconde Guerre mondiale, le pouvoir politique et militaire, aux États-Unis surtout, va demander aux physiciens eux-mêmes de s'impliquer dans la réalisation technique de bombes d'un type nouveau et d'une puissance jusque-là inimaginable. Ce n'est pas tout à fait la première fois que la science est directement mise en œuvre à des fins militaires. Déjà la chimie avait été utilisée pendant la Première Guerre mondiale pour fabriquer des gaz de combat, mais ce n'était pas du tout à la même échelle.

– *Mais l'énergie nucléaire ne sert pas qu'à fabriquer des bombes ?*

– Non, certes. Dès l'après-guerre, on a commencé à construire des centrales nucléaires capables de fournir de l'énergie à des fins civiles. Tu sais qu'en France, par exemple, les trois quarts de notre électricité sont ainsi produits, et tu as entendu parler de tous les problèmes que cela pose.

– *Bien sûr, après la catastrophe de Fukushima.*

– Laissons de côté si tu veux bien la question des dangers de l'énergie nucléaire, qui ne relève pas seulement – je dirais même pas essentiellement – de considérations proprement scientifiques, mais d'abord de problèmes techniques (solidité du béton, résistance des tuyauteries, danger sismique), économiques (prix des combustibles, coût de maintenance et de démantèlement), policiers (sécurité des sites, risque de dissémination).

Ce que je veux te faire comprendre, c'est qu'avec le succès – si l'on peut dire – du programme nucléaire, le couplage entre science et technique va s'intensifier. Plutôt que d'attendre les découvertes scientifiques pour les appliquer, on va orienter et aiguillonner la recherche pour qu'elle fournisse des connaissances applicables. Tant les militaires que les industriels vont financer massivement le travail scientifique afin qu'il puisse accroître la puissance armée et alimenter les marchés en objets de consommation de haute technologie. La science va recevoir de plus en plus d'argent, les chercheurs vont être de plus en plus nombreux, vont pouvoir construire des appareils de plus en plus gros et compliqués et entreprendre des recherches à très grande échelle – ce qu'on appelle la Big Science, la science lourde.

– *Mais c'est épatant ça, non ?*

– Certes, cela permet de faire des recherches qu'on n'aurait pas imaginées jadis, en construisant des accélérateurs de particules géants, en lançant des télescopes dans l'espace, en utilisant des ordinateurs superpuissants pour décrypter le génome humain, etc. Mais cela modifie la nature même de la science. Tu te rappelles que nous avons parlé de la rigueur ? Eh bien, un critère classique de la rigueur scientifique était celui de la reproductibilité. Il était de coutume d'affirmer que toute expérience scientifique, pour que ses résultats soient acceptés, doit pouvoir être reproduite à volonté. C'est valable pour la plupart des expériences de la science classique, celles de Pascal sur la pression atmosphérique, celles de Pasteur sur la génération spontanée, etc. Mais l'utilisation des gigantesques appareils que j'évoquais coûte si cher et il y a une telle pression pour aller de l'avant et faire de nouvelles expériences, qu'on n'a pas vraiment la possibilité de refaire les précédentes. Je ne dis pas pour autant que toutes ces expériences sont douteuses, mais simplement que tu vois là encore un exemple de la façon dont la nature même de la science évolue.

## Liberté ou rentabilité de la recherche ?

— *Tu sembles quand même très préoccupé par cette évolution ?*

— Oui, car le problème le plus sérieux est le suivant. La société fournit d'importants moyens aux scientifiques, mais, en contrepartie, il leur est demandé de fournir des connaissances utiles, et rapidement : de quoi fabriquer de nouveaux médicaments, de nouveaux matériaux, de nouvelles armes, etc. Or, tu te rappelles que pendant longtemps, les savants visaient à comprendre la nature sans se demander par avance si et à quoi cela servirait. Ils pouvaient donc travailler avec une grande liberté d'esprit. Mais désormais, à partir du moment où ils doivent produire des résultats à court terme, ils n'ont plus la possibilité d'une recherche libre et désintéressée pour développer des idées tout à fait nouvelles, qui nécessitent en général beaucoup de temps pour mûrir.

— *C'est pour cela qu'on entend souvent des scientifiques demander qu'on respecte la « liberté de la recherche » ?*

— Tout à fait. Mais on ne peut guère espérer recevoir de l'État ou des entreprises des moyens financiers considérables sans aucune contrepartie. Il y a un vrai risque aujourd'hui que certaines recherches soient abandonnées. Personne ne sait vraiment comment résoudre cette contradiction entre la liberté de la recherche et son coût.

– *C'est le contraire du proverbe qui dit que « abondance de biens ne nuit pas ».*

– Ça serait plutôt « l'argent ne fait pas le bonheur ».

– *Si tu penses qu'il est de plus en plus difficile de produire des idées nouvelles et originales, cela ne veut-il pas dire que, en un certain sens, la recherche scientifique pourrait carrément s'arrêter ?*

– Eh bien, il me semble que c'est une possibilité qu'il faut prendre au sérieux. Non pas qu'on va fermer les laboratoires et mettre les chercheurs au chômage, mais que la recherche scientifique pourrait s'étioler jusqu'à se confondre avec la seule innovation technique à court terme. D'ailleurs, déjà nombre d'avancées technologiques se font de façon plus ou moins empiriques, sans vraiment qu'on en comprenne les ressorts théoriques. On revient d'une certaine façon à la situation qui a précédé la Révolution scientifique du XVIIe siècle, où de très grands progrès techniques ont été accomplis sans reposer sur une avancée des connaissances. Peut-être sommes-nous à la fin d'une époque remarquable et exceptionnelle dans l'histoire où l'humanité – une petite partie de l'humanité – a pu mener de pair le projet de comprendre le monde et la tâche d'agir sur lui.

— *J'ai vraiment du mal à imaginer une société où la connaissance du monde ne serait plus une valeur essentielle.*

— Pourtant, les autres grands épisodes de l'histoire des civilisations où la science (sous différentes formes) a été une valeur essentielle, comme tu dis, n'ont duré qu'un certain temps et ont connu un coup d'arrêt. On pourrait parler de la science arabo-islamique ou de la science chinoise. Mais le cas le plus frappant et le plus lié à notre culture est celui de la science grecque, dont nous avons déjà parlé. Tu sais bien sûr que la Grèce antique, celle d'Athènes et des autres cités, que va continuer la période hellénistique avec Alexandrie, est conquise par Rome au $\text{II}^e$ siècle avant notre ère.

— *Oui, on a appris ça, mais aussi, en contre-partie, que c'est la culture grecque qui va s'imposer à Rome.*

— C'est ce qu'écrit le poète Horace au $\text{I}^{er}$ siècle avant notre ère : « La Grèce, conquise, a conquis son farouche vainqueur et a porté les arts au Latium sauvage. » De fait, les Romains absorbent la culture grecque — sa littérature, sa mythologie, ses arts, sa philosophie, son architecture. Mais qu'en est-il de sa science ? Tiens je vais te poser une question : cite-moi quelques savants grecs.

– *Facile : on a déjà mentionné Thalès et Pytha-gore, mais il y a aussi Euclide, Archimède…*

– Et bien d'autres : Hipparque, Ératosthène, Héron, Ptolémée, pour ne citer que quelques noms connus. Mais cite-moi quelques grands savants romains ?

– *??? Je sèche…*

– Pour une bonne raison : la culture romaine ne s'est guère intéressée à la science fonda-mentale ! La science grecque n'a été reprise et relayée qu'après de nombreux siècles, par la science arabo-islamique, puis européenne.

– *Alors tu crois que nous entrons dans une période à la romaine ?*

– Comparaison n'est pas raison, et je ne voudrais pas te décourager, parce que j'espère que ta génération pourra éviter cette décadence.


## Mais où va la science ?

– *Comment penses-tu possible de sortir de cette impasse ?*

– Peut-être faut-il d'abord modifier la ques-tion (après tout, on a vu que c'est ça, la science), et se demander non pas « à *quoi* sert la science ? » mais « à *qui* sert-elle ? ». La réponse est ambiguë : elle peut servir au bien-être de toute l'huma-nité, mais aussi au profit d'une toute petite minorité, et même à des actes de violence que certains groupes d'humains commettent contre d'autres. Pour éviter que la science ait des effets négatifs sur la société, nous avons besoin de mieux comprendre quel rôle elle joue dans la société. C'est Bertolt Brecht, encore lui, qui l'avait bien écrit avant même la Seconde Guerre mondiale et Hiroshima : « Plus nous arrachons de choses à la nature grâce à l'organisation du travail, aux grandes découvertes et inventions, plus nous tombons, semble-t-il, dans l'insécurité de l'existence. Ce n'est pas nous qui dominons les choses, semble-t-il, mais les choses qui nous dominent. Or cette apparence subsiste parce que certains hommes, par l'intermédiaire des choses, dominent d'autres hommes.

» Nous ne serons libérés des puissances naturelles que lorsque nous serons libérés de la violence des hommes. Si nous voulons profiter en tant qu'hommes de notre connaissance de la nature, il nous faut ajouter, à notre connaissance de la nature, la connaissance de la société. »

Ce que j'aime beaucoup dans cette citation, c'est qu'elle inverse le rapport qu'on établit usuellement entre sciences naturelles et sciences sociales lorsqu'on pense que les premières seraient plus avancées et devraient être mises à profit par les secondes. Je crois au contraire qu'aujourd'hui les physiciens, chimistes, biologistes, etc., ont plus besoin des anthropologues, sociologues, économistes, etc., – et, bien sûr, des philosophes – que l'inverse.

– *Donc, si je m'intéresse aux maths et à la*

*philo, à la physique et au français, ce n'est pas du temps perdu ? On me demande souvent si je suis plutôt littéraire ou plutôt scientifique, et je suis bien embarrassée pour répondre.*

— Ne réponds surtout pas ! Et, si tu le peux, ne choisis pas, ou le plus tard possible, quand tu pourras le faire en connaissance de cause. Et, que tu ailles dans une direction ou l'autre, ou une très différente encore, cela te sera très précieux d'avoir une vision aussi large que possible. Cela dit, ce n'est pas parce que tu choisiras finalement une profession artistique ou commerciale ou que sais-je encore, que tu seras obligée de tout oublier de la science ! Heureusement, de même que les scientifiques peuvent faire de la musique ou du théâtre en amateurs, les littéraires peuvent faire de la science en amateurs ! Certaines sciences, comme l'astronomie, ou la botanique, ont même grand besoin de l'apport des amateurs.

— *Quand même, je suis un peu troublée. Tu as commencé par m'expliquer qu'on pouvait trouver beaucoup de plaisir dans la science, et tu finis par me dire qu'elle va peut-être disparaître. Avoue que ce n'est pas très encourageant !*

— Tu as raison, je suis sans doute trop pessimiste. Mets ça sur le compte de mon âge, et garde l'optimisme du tien.

— *Tu as donc de l'espoir pour l'avenir proche ? Qu'attendrais-tu des recherches à venir ?*

— D'abord, il y a quelques grandes questions

ouvertes dont les prochaines décennies verront peut-être surgir la réponse. Certaines sont très concrètes : mieux comprendre certains phénomènes biologiques, de façon à pouvoir soigner le cancer par exemple. D'autres sont abstraites mais constituent de vrais défis intellectuels, ainsi en mathématiques, il y a des conjectures – c'est-à-dire des hypothèses – très faciles à énoncer, mais très difficiles à démontrer.

— *Tu peux me donner un exemple ?*

— Tu sais ce qu'est un « nombre premier » ?

— *Oui, un nombre qu'on ne peut diviser, comme 7 ou 43.*

— Eh bien, la conjecture de Goldbach, qui remonte au XVIII$^e$ siècle, énonce que tout nombre pair peut s'écrire comme la somme de deux nombres premiers ! Tu peux le vérifier facilement sur des nombres pas trop grands. Essaie 10 ?

— *Fastoche, c'est égal à 5 + 5.*

— Et aussi 3 + 7, la conjecture ne dit pas qu'il y a une seule façon de faire, elle dit qu'il y en a toujours au moins une. Quid de 42 ?

— *Tu l'as fait exprès ?*

— Pardon ?

— *Comment, tu ne connais pas H2G2 ?*

— Non, qu'est-ce que c'est ?

— *Mais le* Hitchiker's Guide to the Galaxy *!*

— Et alors ?

— *Alors, dans ce livre-culte, 42 est LA réponse à « la grande question sur la vie, l'Univers et le* reste ». *Le seul problème est que personne ne sait au juste quelle est cette question…*

– Dommage ! Mais revenons à la question heureusement plus simple de la décomposition de 42 en somme de nombres premiers.

– *Voyons… 31 + 11, par exemple, ou 37 + 5.*

– Bien. Et encore 29 + 13, ou 23 + 19… Or on ne sait pas démontrer qu'on peut trouver de telles décompositions pour n'importe quel nombre pair, aussi grand soit-il !

– *Et quel intérêt ?*

– Peut-être pas plus que de prouver que l'esprit humain peut y arriver, comme de prouver que le corps humain peut parcourir 100 mètres en moins de 10 secondes. Mais peut-être aussi que cette démonstration demandera de forger des outils mathématiques nouveaux qui permettront de résoudre bien d'autres problèmes.

– *Dis donc, à propos de H2G2 et de la blague sur 42, il y a quand même quelque chose qui semble manquer à la science, c'est la rigolade. Je me trompe ?*

– Mais oui ! Tous les humains ont le sens de l'humour – même si les deux mots n'ont aucune étymologie commune –, les scientifiques comme les autres. Évidemment, la plupart de leurs blagues professionnelles ne font rire qu'eux.

– *Tu m'en racontes une quand même ?*

– D'accord, mais elle ne te fera rire que lorsque tu seras en Première. Voilà : $x$ et $x^2$ sont en bateau, $x$ tombe à l'eau, qui est-ce qui reste ?

– *Je suppose qu'il ne faut pas répondre $x^2$. Alors ?*

– Eh bien c'est $2x$, parce que le bateau a dérivé… Pas hilarant, d'accord, mais tu pourras au moins en sourire quand tu auras appris ce qu'est la dérivation en mathématiques.

– *Tu n'as pas mieux ?*

– Si, une que j'aime bien. Elle met en scène Niels Bohr, un grand physicien danois du XX$^e$ siècle, qui a beaucoup réfléchi sur le rôle de la subjectivité du savant. Il invite, raconte-t-on, l'un de ses collègues dans la fermette qu'il possède à la campagne. En arrivant, le collègue voit un fer à cheval cloué au-dessus de la porte et s'étonne : « Comment, Niels, toi qui es scientifique, qui as un esprit rationnel, tu ne vas pas me dire que tu es superstitieux et que tu crois qu'un fer à cheval porte bonheur ? – Bien sûr que non, répond Bohr, je n'y crois pas. Mais tu sais, il paraît que ça marche même quand on n'y croit pas. »

– *Pas mal celle-là ! Mais elle nous ramène à la question des croyances, que je voulais te reposer. L'autre jour, en classe de SVT, la prof nous a parlé de Darwin et de la théorie de l'évolution. Alors, un élève, qui est très religieux, lui a dit que c'était une théorie fausse et trompeuse car c'est Dieu qui a créé toutes les espèces animales d'un seul coup. La prof a répondu que l'évolution était une théorie scientifiquement démontrée et que cela suffisait à disqualifier les objections religieuses. Ça a provoqué beaucoup de discussions entre nous sur la science et la religion.*

– Quelles étaient les positions des uns et des autres ?

– *Certains disaient que, puisque la science démontre des vérités contraires aux affirmations des religions, cela suffit à prouver que Dieu n'existe pas et qu'on doit se débarrasser des religions. D'autres disaient que l'on peut quand même à la fois croire en Dieu et accepter la science, quitte à modifier ou éliminer certaines affirmations des religions, et d'autres enfin soutenaient l'élève qui avait protesté, en disant que les vérités scientifiques ne sont pas absolues – comme tu l'as dit toi-même –, et que du coup, la religion finirait par avoir le dernier mot. Qu'en penses-tu ?*

– Je ne crois évidemment pas qu'un Dieu a créé le monde tel qu'il est en une seconde ou en sept jours. Et sur des questions comme la théorie de l'évolution, c'est la connaissance scientifique qui l'emporte, ne serait-ce que, justement, parce qu'elle est capable de se corriger elle-même. Donc, toute forme de religion qui prétend imposer des réponses irréfutables à n'importe quelle question me paraît haïssable, car exigeant l'abandon de l'esprit critique et aboutissant à de véritables dictatures intellectuelles – et souvent politiques du même coup.

– *Tu dis « toute forme de religion », mais y en a-t-il d'autres ?*

Oui, certes. On peut très bien croire en un Dieu, ou plusieurs, en espérant que la religion donne des règles de conduite morale. On peut aussi y trouver une consolation face aux difficultés de la vie et à la crainte de la mort. On peut encore lui reconnaître la capacité à sublimer l'esprit humain et à produire de grandes œuvres artistiques et même philosophiques. Toutes ces dimensions n'exigent nullement que la religion interfère avec les connaissances scientifiques. Même si je ne partage aucune de ces inclinations religieuses, je les respecte – mais je demande réciproquement aux croyants de respecter mon incroyance !

– *Donc tu donnerais tort à la fois à l'élève fanatique et à la prof dogmatique ?*

– Absolument, et en tout cas, je pense qu'une argumentation exclusivement scientifique ne suffit nullement à fournir des arguments antireligieux convaincants.

– *Mais je reviens aux questions scientifiques ouvertes. Il y en a beaucoup ?*

– Oui, énormément, et surtout une dont les répercussions philosophiques seraient immenses : y a-t-il de la vie sur d'autres planètes ?

– *Des extraterrestres ?*

– C'est ça, et même s'il ne s'agit pas de formes de vie intelligentes et communicantes comme le petit E.T., même si l'on ne découvre d'abord que des sortes de microbes, cela changerait complètement la vision que nous avons de notre place dans l'Univers ! Il est fort possible que tu assistes à une telle découverte majeure de ton vivant, et, pourquoi pas, que tu y participes.

— *Ça, ça me branche ! Je pourrais faire à la fois de l'astrophysique et de la biologie !*

— Mais au-delà, ou plutôt en deçà de ces questions qui se posent *dans* la science, il y a des questions qui se posent *sur* la science et dont j'espère que votre génération pourra aider à les résoudre.

— *À savoir ?*

— On les a déjà évoquées. En voici quelques-unes, tout à trac. Comment maîtriser démocratiquement le développement des sciences et des techniques ? Comment donner à la connaissance scientifique les moyens de se développer sans qu'elle soit soumise aux impératifs de rentabilité économique ? Comment concilier une recherche désintéressée et une recherche utile ? Comment renouer les liens entre la science et la culture ? Comment introduire le plaisir dans l'enseignement des sciences ? Comment éviter à la rationalité scientifique de devenir dogmatique ?

— *Ouh là, ça en fait un programme !*

— Je compte sur toi pour y contribuer ! Mais en attendant, si on allait observer le ciel ce soir ?

— *Oh oui, peut-être qu'on pourrait voir la comète qui est de passage ?*

— Allez, je sors le télescope.

# Table

# Du même auteur

La Physique en questions
T. 1, Mécanique
*Vuibert, 1980, 1999*
T. 2 (avec A. Butoli), Électricité et magnétisme
*Vuibert, 1982, 1999*

L'Esprit de sel
Science, culture, politique
*Fayard, 1981 ; Seuil, « Points Sciences », 1984*

Quantique
T. 1 (avec F. Balibar), Rudiments
*Interéditions/CNRS, 1984 ; Masson, 1997*
T. 2 (avec F. Balibar, A. Laverne,
D. Mouhanna), Éléments
http://cel.archives-ouvertes.fr/cel-00136189, *2007*

La Pierre de touche
La science à l'épreuve
*Gallimard, « Folio Essais », 1996*

Aux contraires
L'exercice de la pensée
et la pratique de la science
*Gallimard, « NRF Essais », 1996*

Impasciences
*Bayard Éditions, 2000*
*Seuil, « Points Sciences », 2003*

La Matière [CD audio]
*De vive voix, 2003*

Le Monde quantique [CD audio]
*De vive voix, 2003*

La Science en mal de culture
Science in Want of Culture
*Futuribles, 2004*

De la matière
relativiste, quantique, interactive
*Seuil, « Traces écrites », 2004*

Qu'est-ce que la matière ?
(avec F. Balibar et R. Lehoucq)
*Le Pommier, 2005*

La Vitesse de l'ombre
Aux limites de la science
*Seuil, « Science ouverte », 2006*

La science (n')e(s)t (pas) l'art
Brèves rencontres...
*Hermann, 2010*

Le Grand Écart
La science entre technique et culture
*Manucius, 2012*

RÉALISATION : NORD COMPO, À VILLENEUVE D'ASCQ
IMPRESSION : NORMANDIE ROTO S.A.S. À LONRAI
DÉPÔT LÉGAL : SEPTEMBRE 2014 N° 118342 (1403100)
*Imprimé en France*

# Derniers titres parus
## dans la même série

Clémentine Autain
*Les Machos expliqués à mon frère*

Rama Yade
*Les Droits de l'homme*
*expliqués aux enfants de 7 à 77 ans*

Pascal Vernus
*Les Dieux égyptiens expliqués à mon fils*

Alain Demurger
*Chevaliers et chevalerie expliqués à mon petit-fils*

Pascal Picq
*Darwin et l'évolution expliqués à nos petits-enfants*

Jean-Marc Jancovici
*Le Changement climatique expliqué à ma fille*

Roger-Pol Droit
*L'Éthique expliquée à tout le monde*

Marc Ferro
*Le Mur de Berlin et la Chute du communisme*
*expliqués à ma petite-fille*

Marc-Alain Ouaknin
*La Tora expliquée aux enfants*

Rachid Benzine
*Le Coran expliqué aux jeunes*

Henry Rousso
*La Seconde Guerre mondiale expliquée à ma fille*

Elias Sanbar
*La Palestine expliquée à tout le monde*

Michel Wieviorka
*L'Antisémitisme expliqué aux jeunes*